Il sapere

Enciclopedia tascabile
diretta da Roberto Bonchio

23

In copertina: Leonor Fini, *La cerimonia*, 1960
Design: Alessandro Conti

Prima edizione: luglio 1994
Tascabili Economici Newton
Divisione della Newton Compton editori s.r.l.
© 1994 Newton Compton editori s.r.l.
Roma, Casella postale 6214

ISBN 88-7983-517-3

Stampato su carta Libra Classic della Cartiera di Kajaani
distribuita dalla Fennocarta s.r.l., Milano
Copertina stampata su cartoncino Fine Art Board della Cartiera di Aanekoski

Cecilia Gatto Trocchi

Le sette in Italia

Tascabili Economici Newton

Tascabili Economici Newton, sezione dei Paperbacks
Pubblicazione settimanale, 9 luglio 1994
Direttore responsabile: G.A. Cibotto
Registrazione del Tribunale di Roma n. 16024 del 27 agosto 1975
Fotocomposizione: Sinnos Coop. Sociale a r.l., Roma
Stampato per conto della Newton Compton editori s.r.l., Roma
presso la Rotolito Lombarda S.p.A., Pioltello (MI)
Distribuzione nazionale per le edicole: A. Pieroni s.r.l.
Viale Vittorio Veneto 28 - 20124 Milano - telefono 02-29000221
telex 332379 PIERON I - telefax 02-6597865
Consulenza diffusionale: Eagle Press s.r.l., Roma

Indice

p. 9 Introduzione

12 I. La babele delle terminologie e lo scoglio delle classificazioni

15 II. Sette di origine orientale
16   1. Sette legate all'induismo
26   2. I sentieri dello yoga
35   3. Il buddhismo
41   4. Nuove religioni giapponesi
44   5. Sette islamiche

50 III. Sette di matrice cristiana

60 IV. Le psico-sette
65   1. Un gruppo tipico tra le psico-sette
67   2. Il caso di Scientologia

71 V. La nebulosa magico-esoterica e l'occultismo
74   1. La società teosofica
75   2. La New Age
78   3. Culti ufologici

80 VI. Sette sataniche, stregoneria, neopaganesimo, magia

84 VII. Le sette e il mondo contemporaneo: un'interpretazione

89 Bibliografia essenziale

Introduzione

Il fenomeno dei nuovi movimenti religiosi in Italia è assai complesso. Ad una prima considerazione generica potrebbe sembrare che il nostro Paese, di tradizione spiccatamente cattolica da un verso (per quanto riguarda la cultura «popolare») e laico-marxista da un altro (per quanto riguarda la cultura cosiddetta d'élite, l'intellettualità che «fa opinione») sia la terra più inospitale per la diffusione di religioni alternative.

Ma in realtà non è così. A partire dagli anni '70, dalla crisi cioè delle speranze di palingenesi «politica» si è impercettibilmente diffuso in Italia un numero rilevante di nuove sette religiose, spesso di derivazione «orientale».

Il numero delle persone coinvolte nelle nuove sette è in certo senso esiguo: si può arrivare a un massimo di 300.000, mentre i simpatizzanti che hanno un rapporto occasionale con le sette stesse non superano il milione: appare piuttosto sorprendente il *numero* delle religioni presenti oggi in Italia indipendentemente dalla quantità numerica degli adepti.

Altrettanto interessante è una sorta di cultura diffusa che i nuovi movimenti religiosi e le sette hanno determinato in Italia, nella quale il 35% della gente crede nella reincarnazione, il 45% nelle capacità extrasensoriali di persone «dotate» e il 36% nella veridicità dell'astrologia.

Il proliferare delle sette, un fenomeno tipico della post-modernità, si è affacciato nella storia degli altri paesi già da molto tempo[1]. L'Italia, un tempo feudo del cattolicesimo, tra poco non avrà più nulla da invidiare alla California, patria conclamata delle iniziazioni esoteriche.

Il fatto è che, nell'attuale situazione, i nuovi soggetti sociali si trovano a vivere una molteplicità di esperienze che, se giovano

[1] Vedi Introvigne M., *Le nuove religioni*, Milano, Sugarco 1989.

come stimoli all'agire, creano nel contempo un'identità culturale fluida, imprecisa e fragile.

I nuovi movimenti religiosi o mistico-esoterici (come un tempo i partiti politici) presentano in tale contesto un'alternativa alla dispersione urbana, all'isolamento, alla neutralità affettiva, alla confusione dei valori fondanti, alla crisi della famiglia e talvolta delle istituzioni.

Il crollo non tanto dei valori (che per loro definizione sono relativi, storicamente e culturalmente determinati) quanto di una gerarchia organica di valori, di un sistema etico coerente, è il vero dramma della coscienza moderna.

Alla gente comune impreparata a portare il peso di questo dramma, le religioni alternative offrono una reale e affascinante via di salvezza. Nonostante le differenze di tono e di qualità, tali movimenti propongono tre linee di forza su cui si basa la loro diffusione: il ricorso ad una esperienza interiore, un messaggio di salvezza, l'aderenza a una comunità.

L'esperienza interiore proposta conduce all'autorealizzazione, a un miglioramento delle capacità mentali, all'equilibrio psicofisico, al benessere generale e si basa su tecniche pratiche «alle quali il cristianesimo ha da contrapporre solo sterili rituali dettati dall'obbedienza», come dicono i seguaci di Osho[2].

Il messaggio di salvezza comporta la scoperta di una verità trascendente, segreta, di origine mistica, che si rivela o si capta attraverso l'esperienza individuale interiore e che si rafforza con pratiche rituali in cui è spesso presente uno sfondo magico.

Tale conoscenza mistica e la salvezza finale sono connesse con la liberazione delle potenzialità dell'Io e con l'impegno ascetico. Infine i movimenti si presentano come «comunità consacrate» in grado di ri-definire non solo l'identità del soggetto, ma l'intera realtà. Tale potere demiurgico, anche se non è (se non raramente) esplicitato, assume per l'antropologo una rilevanza eccezionale e pone i movimenti religiosi in esame in una posizione dinamica nei riguardi dell'intero corpo sociale. Le sette, infatti, si propongono tutte un rinnovamento dell'ecumene, una trasformazione a livello mondiale delle relazioni sociali, individuali e soprattutto simboliche. Dagli Hare Krishna agli Arancioni, dai praticanti la meditazione trascendentale ai buddhisti e ai Moonies, tutti gli adep-

[2] Vedi avanti, p. 24.

ti pensano di essere «il sale della terra» capaci di determinare trasformazioni straordinarie nei rapporti tra l'uomo e la natura, l'uomo e la realtà sociale, l'uomo e la donna ecc.

Infine si può ipotizzare che la causa di fondo del sorgere dei nuovi culti sarebbe proprio la protesta contro la modernità e contro la sua più lacerante contraddizione che oppone una sfera pubblica razionale, astratta, impersonale e una sfera privata priva di orientamenti e che pure deve decidere del proprio destino.

Occorre sottolineare il desiderio dei nuovi movimenti di offrire una dimora all'essere, una visione totalizzante del mondo, in cui la spaccatura tra pubblico e privato risulti superata e «redenta».

Ringrazio Isabella Dettori e Wladimiro Le Rose.

I. La babele delle terminologie e lo scoglio delle classificazioni

Il termine «setta» (per altro rifiutato dagli adepti e dai capi carismatici) deriva dal latino *sequor* (e dal suo rafforzativo *sector*) con il senso di «seguire», andare dietro, accompagnare un maestro. *Secta* in latino significava linea di condotta, dottrina, scuola filosofica e gruppo religioso. L'idea che la parola indichi una separazione (quindi impropriamente collegata al verbo *secare*, tagliare) è molto più tarda e meno relativistica, in quanto implica il concetto di una religione più vasta da cui la setta si sarebbe appunto separata. È strano quindi che si leghi al termine una valenza negativa, dato che all'origine *sectae* erano le scuole degli stoici, degli epicurei e persino dei giureconsulti, per non parlare dei primi cristiani seguaci di una *secta* (o dottrina) a tutti gli effetti. Si può anche dire che Aristotele, il grande razionalista, avesse una setta, anzi una setta «esoterica», dato che le lezioni che teneva la mattina ai suoi studenti paganti erano chiamate da lui «esoteriche» (interne) mentre quelle del pomeriggio aperte a tutti erano dette «essoteriche» (esterne).

Ma la storia gioca dei brutti tiri alle parole (come del resto agli uomini) e setta è oggi diventato sinonimo di conventicola, covo di streghe e congrega ereticale. L'attuale panorama italiano delle sette non giova certo a chiarire né i termini né i contenuti delle scuole, dei movimenti di pensiero e delle religioni alternative. Si tratta di un mondo complesso, marginale eppure in rapida e irreversibile espansione. Chi come me si è tuffato all'interno di tale mondo vivendo esperienze iniziatiche dal di dentro, ha ricevuto come primo impatto un senso di incredulità e di sbalordimento e questo non solo per il numero delle sette e dei loro adepti. Quel che meraviglia è proprio accorgersi che non ci si trova di fronte a residui o occasionali emergenze di una cultura arcaica, ma a un fenomeno in rapida espansione che giunge nel nostro paese dalle sedi centrali della cultura dell'Occidente. La spiritualità alternativa prospera nelle città più ricche dell'Italia settentrionale (più in Lombardia e in Emilia che non in Puglia o in Calabria), trova vasta eco nella piccola e media borghesia, nelle fasce più alte della classe operaia ma anche tra le casalinghe che hanno il problema di far quadrare i conti della spesa come nel ceto imprenditoriale, in ambienti di professionisti e tra gli studenti. Il panorama dei seicento e più punti di incontro per le associazioni religiose e magico-esoteriche rivela una tipologia quanto mai complessa e ideologicamente sincretica: dai Templari ai profeti del libero sesso, dalla Fraternità bianca universale alle sette religiose neo-orientali, dai gruppi satanici ai centri di ufologia sperimentale, dalle più nobili dottrine tradizionali ai più confusi «credo» nati negli ambienti della provincia italiana. Gli adepti sono interclassisti e di tutte le età: sono giovani donne, anziani professionisti, intere famiglie, persone colte e meno colte residenti nelle grandi città come nei centri più piccoli. Un altro dato che emerge in maniera determinante è la grande capacità di proselitismo delle sette.

Questo mondo caleidoscopico e bizzarro presenta una grande difficoltà di classificazione: le tipologie sfumano le une nelle altre; gruppi satanici, ad esempio, si configurano come vie di salvezza, sette religiose neo-orientali praticano la magia, confraternite religiose insospettabili come i Templari si addentrano nei misteri esoterici. Questo universo dai contorni sfumati e imprecisi è caratterizzato dalla eterogeneità e dal sincretismo. Inoltre un demone scissionista agita il mondo delle sette che nascono, si espandono e poi scompaiono, oppure si dividono intorno a figure poco raccomandabili di capi carismatici. Tutto questo costa molto: i nuovi movimenti religiosi e l'esoterismo muovono un vertiginoso giro di miliardi. Per gli addetti ai lavori l'interpretazione del successo dei nuovi movimenti religiosi e delle sette è oggetto di dibattito e di polemica. Ormai la bibliografia è vasta e molto articolata e di essa daremo ragione nella parte finale del testo.

La prassi antropologica ci ha insegnato che per comprendere un fenomeno occorre inserirlo in un contenitore o categoria più ampia che ne dia giustificazione e che lo descriva: questo procedimento comune a ogni forma di conoscenza è estremamente difficile per quanto riguarda le sette. Gli addetti ai lavori già discutono circa la terminologia da usare per il fenomeno stesso e se questa terminologia deve essere di matrice psicologica, teologica o sociologica[1]. Il problema è infatti spinoso e da esso vorremmo uscire proponendo tre elementi che possano giocare nella definizione e caratterizzazione delle sette stesse: 1. le origini storiche, 2. il contenuto dottrinale, 3. le modalità di organizzazione. Pensiamo quindi di analizzare una serie di gruppi che vengono caratterizzati da questi elementi. Il primo gruppo potrebbe essere quello delle sette e movimenti religiosi alternativi di origine orientale, che si ispirano all'induismo, al buddhismo, al taoismo, alle religioni giapponesi. In questo ambito assistiamo sia alla diffusione di movimenti religiosi tradizionali che alla formulazione di nuovi culti che in genere ruotano intorno a un capo carismatico ben deciso a esportare in Occidente i beni spirituali e religiosi della sua terra d'origine.

Esiste poi un vasto settore di gruppi e movimenti psico-spiritualistici che si presentano come portatori di sviluppo delle potenzialità umane e fisiche dell'individuo. Questi gruppi ostentano caratteristiche dichiaratamente taumaturgiche e terapeutiche. Appare poi il vasto panorama delle sette di matrice cristiana che si riferiscono a un cristianesimo di frangia e che contengono sia grandi movimenti di massa come i Testimoni di Geova sia piccoli gruppi di neoformazione, alcuni con caratteristiche unificazioniste di cui la più nota è quella che fa capo al reverendo Moon. Abbiamo sette islamiche Sufi, i Sikh, i neo-pagani, vari tipi di gnosticismo, sette esoteriche a sfondo magico-occultistico e ovviamente i satanisti[2].

Esiste infine un movimento complesso e articolato dalle grandiose proporzioni planetarie che va sotto il nome di New Age o Nuova Era la quale propone un sincretismo davvero stupefacente tra filosofie orientali, psicologia del profondo, visione magica del mondo, ufologia e religioni primitive[3].

---

[1] Cfr. Introvigne M., Mayer J. F., Zucchini E., *I nuovi movimenti religiosi*, Torino, Elle Di Ci Leumann, 1990.

[2] Cfr. Ferrari G., «Come orientarsi nel multiforme mondo delle sette», in *Sette e religioni*, n.1, gennaio-marzo 1991, pp. 9 e ss.

[3] Vernette J., *Il New Age* (trad. it.), Milano, Ed. Paoline, 1992.

II. Sètte di origine orientale

L'Oriente «misterioso» ha sempre affascinato la cultura occidentale che ha connotato «le terre del sole» di elementi voluttuosi e cruenti. Gli scrittori e gli intellettuali, dal Settecento in poi, hanno vagheggiato l'Oriente come luogo mentale dell'intensità emotiva, della sensualità e della magia. Il decadentismo e l'estetismo *fin de siècle* ha poi utilizzato l'Oriente e la sua filosofia religiosa in funzione antioccidentale e anticristiana. Già Nietzsche nell'*Anticristo* (scritto nel 1888 e pubblicato nel 1895) considera il buddhismo una religione superiore perché affronta il problema dell'uomo «igienicamente» facendosi carico dell'anatomia e della fisiologia del dolore, e Hermann Hesse ventisette anni più tardi propone a milioni di occidentali il suo *Siddharta* che ha costituito il vademecum insostituibile della contestazione giovanile degli anni Sessanta. La presenza più o meno stabile di predicatori orientali in Occidente risale al 1897 quando Vivekananda, discepolo illustre di Ramakrishna, giunse negli Stati Uniti dove fondò varie missioni. Costui presentò in maniera entusiasmante ai suoi ascoltatori un induismo idealizzato, sottolineando frequentemente la complementarietà della cultura spirituale e mistica dell'Oriente e di quella tecnicamente avanzata dell'Occidente. Si tratta di un'idea che sarà ripetuta fino ai giorni nostri da varie figure di predicatori. Ma già la propaganda della Società teosofica (fondata a New York da Madame Blavatsky e Olcott nel 1875) aveva divulgato in Occidente nozioni annacquate e fascinose di induismo, yoga e buddhismo. Il famoso Parlamento delle religioni, tenuto a Chicago nel 1893, aveva legittimato il successo di vari maestri orientali. Lo stesso Gandhi, razionalista occidentalizzato, si riconvertì all'induismo dopo l'incontro con due iniziati alla Società teosofica di Londra che lo convinsero della superiorità della spiritualità indiana rispetto al pragmatismo occidentale.

L'orientalismo raggiùnse successivamente gli esponenti della cultura underground, da Kerouac ad Allen Ginsberg, per poi diffondersi tra gli hippies, i contestatori, i pacifisti, i «figli dei fiori».

Trionfò il buddhismo tibetano e lo Zen, la meditazione trascendentale si sposò con la psicologia del profondo (Jung scrisse la prefazione del *I Ching*, testo di divinazione cinese). Tutti recitavano mantras induisti e molti confondevano il *satori* (illuminazione secondo lo Zen) con le esperienze psichedeliche. Andò a ruba il *Libro tibetano dei morti*. I maestri orientali sbarcarono in America per divulgare il loro sapere iniziatico: nel grande mare delle sette elementi religiosi e filosofici eterogenei si fusero tra loro in un sincretismo pittoresco e bizzarro. Vediamone i fili conduttori.

1. *Sette legate all'induismo*

> *Om* è l'arco, la saetta è l'anima:
> Bersaglio della saetta è Brahma
> Dall'irreale conducimi al reale
> Dalle tenebre conducimi alla luce
> Dalla morte conducimi all'immortalità.

Tra le grandi religioni attuali l'induismo è la più antica con una storia continua di oltre quattro millenni. Non è il prodotto di un unico fondatore storico ma il frutto di una graduale evoluzione di ricerca spirituale e mistica di saggi e di religiosi vissuti attraverso i secoli la cui prima fase fu il bramanesimo. L'induismo non ha un'autorità centrale che definisca i limiti della ortodossia o dell'eresia nei riguardi di dottrine, credenze e rituali. Questo particolare tipo di religiosità ha mostrato una grande capacità di accoglimento rispetto a diverse tendenze religiose e spirituali e ha assorbito elementi provenienti da realtà culturali eterogenee. L'induismo è politeista e accoglie nel suo pantheon migliaia e migliaia di divinità, eppure gli antichi maestri ebbero delle intuizioni che hanno poi permesso un'interpretazione monoteista o monista del politeismo: «La realtà è una, anche se viene chiamata con diversi nomi», dice il testo del Rgveda. Nella riflessione filosofica delle Upanishad l'essere supremo è denominato Brahman o Athman ed è la realtà autoesistente che è l'origine e il fine di tutto quanto esiste. I testi dicono:«Quello dal quale le creature nascono, per opera del quale una volta generate vivono e nel quale morendo ritornano, *questo* devi cercare di conoscere: esso è Brahman».

Il mondo intero è manifestazione di Dio, come si legge nelle Upanishad (i testi filosofico-mistici dei Veda) «Dal Signore deve essere avvolto tutto quello che si muove in quanto mondo mutevole». Il *samsara* il divenire, è così parte integrante dell'essere: tutto è unificato e animato dall'immanenza divina. Così si scrive Bhagavadgita: «Tutto l'universo è intessuto nel Signore come le perle in un filo».

La complessità dell'induismo si evidenzia nella eterogeneità e vastità dei libri sacri, scritti in sanscrito e divisi in due categorie che si rifanno l'una alla rivelazione e l'altra alla tradizione. La rivelazione è contenuta nei *Veda* che contengono le verità eterne trascendenti e spirituali. In esse troviamo collezioni di inni (in gran parte in onore di varie divinità), testi liturgici (che descrivono vari riti sacri, cerimonie e sacrifici) e infine disquisizioni filosofiche e mistiche.

Le altre scritture, che si richiamano alla tradizione, sono anch'esse numerose ed eterogenee come le due grandi epopee, il *Ramajana* e il *Mahabharata*, in cui è contenuta la Bhagavadgita o il Cantico del Signore, spesso denominato «Nuovo Testamento». Abbiamo inoltre numerosi *Purana* o testi mitologico-spirituali che costituiscono la principale ispirazione del movimento Hare Krishna. Nella prima parte dei *Veda* si ritrovano lodi e preghiere a centinaia di divinità, personificazioni assai complesse che rispecchiano fenomeni naturali come il sole e il cielo, il vento e la pioggia, il fuoco e la terra: in realtà rappresentano le energie potenti di cui questi eventi naturali sono manifestazioni.

Sul piano della religiosità popolare la natura personale della divinità viene concretamente espressa nelle tre figure divine di Brahma, Shiva e Vishnù e nelle principali incarnazioni di quest'ultimo come Rama e Krishna. Grande potenza viene riconosciuta alla dea madre, la *Shakti* di cui la manifestazione più terribile è la dea Kalì. Importante elemento dottrinario è quello dell'*avatara* che significa «discesa» della divinità in forma visibile con scopo di salvezza. Tale credenza è particolarmente sviluppata nella religione di Vishnù. Varie sono infatti le incarnazioni o avatara di tale divinità di cui Krishna e Rama sono forse le più famose. Dal punto di vista della dottrina cristiana (ammesso che ci sia più familiare) si può dire che l'avatara indù è piuttosto una teofania che non una vera e propria incarnazione.

Gli dei dell'induismo sono sposati e hanno figli: così Shiva è sposato con Parvati e ha per figlio Ganesha, il dio-elefante, Vishnù ha per moglie Lakshmi che lo segue in ogni incarnazione, Brahma la Sarasvati, Krishna la Rada (oltre a un nutrito harem di pastorelle). L'induismo crede che il mondo sia sottoposto a un continuo processo di creazione, conservazione e dissoluzione, una credenza strettamente legata a quella della reincarnazione delle anime. Infatti la concezione indù dell'uomo e del suo destino è basata sulla credenza della reincarnazione. L'uomo è un'anima incorporata: l'anima è spirituale, consapevole, eterna, immortale. Il corpo invece è materiale legato al tempo e purtroppo corruttibile. L'incorporazione dell'anima nel corpo è dovuta al karma e alla «ignoranza», due presupposti che hanno nell'induismo un'importanza analoga a quella del peccato originale per i cristiani. L'ignoranza è una potenza inspiegabile ed eterna del male che oscura la visione dell'anima, la quale perde la sua purezza originaria, viene contaminata dall'egoismo e precipita nel mondo visibile in cerca di soddisfazioni psicofisiche, dimenticando i valori spirituali. L'ignoranza spiega quindi la caduta dell'anima ma il karma ne spiega il destino e le vicende del corpo nel quale l'anima si incarna. Karma, che letteralmente significa «azione», viene considerata come la legge inesorabile della retribuzione, la quale implica l'assegnazione a ciascun individuo di una ricompensa corrispondente esattamente alle sue azioni che possono essere buone o cattive. Ogni azione ha il suo contraccolpo quindi in una vita futura e tutto viene espiato attraverso passaggi assai complessi. La vita umana è dunque un karma-samsara, un ciclo di nascite e rinascite dell'anima secondo la legge inviolabile della retribuzione. Ecco che l'ideale profondo della vita induista è la liberazione eterna dell'anima, il suo uscire dal ciclo durissimo delle reincarnazioni, dalla schiavitù della nascita e della rinascita per raggiungere la felicità perenne. Per arrivare a questa liberazione l'induismo ha sviluppato una serie di procedure che riguardano la meditazione, la recitazione del mantra nei quattro stadi della vita via via più perfetti: studi sacri, vita familiare, vita eremitica e monacheismo solitario (*sannyasa*).

Nel tardo induismo il mantra ha un compito ben determinato nel rituale: è un frammento di un testo che viene recitato o mormorato o meditato in silenzio ma sempre con una particolare respirazione. Il senso letterale del mantra è meno importante del significato esoterico del suono e delle sillabe di cui si compone. Il mantra più sacro è la sillaba *Om* che riassume tutte le altre: è la musica delle sfere, l'armonia di tutto l'universo. Va detto che anche il buddhismo adopera frequentemente dei mantra di cui il più famoso è *om mani padme aum*, «il gioiello è nel loto»: cioè l'assoluto è nel reale.

Nella liturgia induista il mantra ha un significato magico-rituale che raggiunge il massimo della sua potenza quando la prassi sacra della recitazione (esatta pronuncia, ritmo, melodia, posizione e movimento dei recitanti) viene rigidamente osservata.

Le discipline di perfezionamento individuale, che vengono scelte a seconda dei gusti personali o delle proprie inclinazioni, devono essere seguite sotto la guida di un «maestro» competente. Tale guida spirituale deve essere una persona veramente illuminata e non un semplice conoscitore libresco delle procedure spirituali. Solo colui che ha una esperienza personale del perfezionamento sarà in grado di compiere la sua missione e di giovare ai discepoli. Su questo sfondo assai complesso vanno ad intersecarsi altre forme di religiosità come il tantrismo che si sviluppò nell'ambito del tardo induismo come del buddhismo del Veicolo Diamante, mescolando una metafisica magico-esoterica con lo yoga e con le pratiche erotiche del shaktismo. Questa religione nata nell'ambito dell'induismo venera la dea, la Shakti, che si considera sposa di Shiva e alla quale si dedicano le unioni sessuali degli adepti. Il tantrismo ha avuto il merito di diffondere in Occidente alcuni concetti ripresi sistematicamente da tutti i gruppi che si ispirano alle religioni orientali: uno di questi concetti è una visione mistica della fisiologia e della anatomia umana legata ai centri vitali o *chakras*. Secondo queste teorie, che sono condivise dallo yoga induista, esiste una corrente energetica fondamentale nel corpo umano che è la medesima negli dei e nel cosmo e che corre nell'organismo concentrandosi nei vari circoli o centri, o punti vitali dell'anatomia mistica. La meta tantrica (pur nella estrema complessità delle idee religiose) resta il superamento del mondo apparente e la fusione con l'Assoluto. Questa realizzazione nel tantrismo è raffigurata nel mito (condiviso dallo yoga) della *kundalini*, il serpente che nella fisiologia umana giace in letargo nel chakra inferiore alla base del tronco e ostruisce la cosiddetta «porta di Brahma». L'opera tantrica è destinata a svegliare la kundalini dal suo sonno e a guidarla attraverso le strutture fisiologico-mistiche fino a che non si congiunge con la realtà spirituale maschile. L'ascesa della kundalini è perciò il momento più importante della vita tantrica: il serpente (che è la Shakti in persona cioè la Dea) in virtù della pratica dello yoga attraversa i sette chakra, raggiunge la sommità del cranio e ne esce per congiungersi con Shiva. Questa tematica è stata fatta propria da innumerevoli sette e dal movimento filosofico-esistenziale della New Age.

A. Hare Krishna

L'Associazione internazionale per la conoscenza di Krishna fu fondata nel 1966 negli Usa da Swami Prabhupada. In America Prabhupada convertì i giovani americani della cultura underground all'osservanza di un'antica tradizione religiosa che si fonda su Krishna, dio personale, forma spirituale prima e sorgente di tutti gli esseri. L'Associazione internazionale giunse in Italia esattamente nel 1973 ad opera di una giovane devota, Ali Krishna, che già aveva tradotto in italiano le opere del maestro. Il piccolo gruppo arrivò a Roma e trovò la sua sede in un semplice appartamento. Dal 1973 al 1980 ci fu un aumento degli adepti e si fondò un *asharam* in una villa vicino a Firenze, ove si costruì un tempio. Oggi gli Hare Krishna sono attivi in 20 città italiane.

I punti fondamentali della dottrina degli Hare Krishna riguardano la materia che è un'emanazione dell'energia spirituale della persona suprema. Esistono dei cicli della materia cosmica: ora viviamo nel *kali-juga*, epoca nera. Infatti, l'attuale momento storico della civiltà occidentale è conforme alla dura età di Kali, dominata dall'ignoranza, dai vizi e dalla dimenticanza delle realtà spirituali. La vita del perfetto devoto deve essere chiusa nell'orizzonte della coscienza di Krishna. Il servizio al Dio rappresenta la via della salvezza.

Nella prassi giornaliera i devoti devono cantare i santi nomi, devono evitare qualunque tipo di droga, compreso il tabacco e l'alcol, devono essere continenti e casti. Le restrizioni alimentari sono molto precise: bisogna osservare una dieta vegetariana. Il cibo è chiamato *prashada*, «misericordia di Dio» ed è considerato nutrimento spirituale, in quanto Krishna stesso discende nel cibo puro. Queste pratiche sono necessarie perché l'uomo riscopra la sua vera vocazione: raggiungere la realizzazione spirituale attraverso l'amore puro per Krishna e l'abbandono in Dio. Si deve svegliare la coscienza assopita e purificarsi dal male. L'unico metodo per servire Krishna è recitare per 1788 volte al giorno il *mahamantra*, vibrazione spirituale canora dai grandi effetti interiori. Il *mantra* è meditazione, è unione; le sue vibrazioni trasportano l'anima lì da dove è venuta, nel cuore delle potenze spirituali. È importante recitare il nome di Krishna davanti alle *Murti*, icone sacre che facilitano il contatto con la divinità.

Ecco un brano di una lezione teorica rivolta ai neofiti.

Krishna appare solo per rivelare i suoi «divertimenti». Questo è un punto fondamentale della personalità del Dio. Krishna è il divino seduttore che si mostra per affascinare le anime condizionate, per attrarle e invitarle a ritornare alla loro vera dimora, il regno spirituale. La distruzione dei demoni che si svolge parallelamente ai divertimenti di Krishna è attuata, secondo la complessa mitologia induista, dall'emanazione di Krishna stesso conosciuto come Vishnù. La dimora suprema degli dèi è descritta come il regno di Cinta Mani, cosparso di palazzi di zaffiro e di altre pietre preziose, compresa la pietra filosofale. Il regno è circondato da alberi (chiamati «alberi dei desideri») e di mucche, considerate animali sacri; centinaia e migliaia di dee servono Krishna, la «causa di tutte le cause». Lì il Signore suona il suo flauto: gli occhi sono come petali di loto e la carnagione del suo corpo è come una splendida nuvola blu. Una piuma di pavone orna il suo capo. Krishna quindi è il dio del fascino e della bellezza, egli affascina e seduce le anime per portarle nel suo regno. Solo le anime liberate apprezzano e ascoltano i racconti dei divertimenti del Signore; le anime condizionate e impure si interessano alle attività materiali come esseri carnali. Le descrizioni dei divertimenti del dio mostrano il fascino di Krishna, la sua gioia, la sua capacità di seduzione. L'attributo che ricorre con insistenza nei racconti mitologici è «seducente» per focalizzare la funzione del dio che affascina gli esseri liberati e li conduce dai bassi istinti meramente corporei in alto verso il regno spirituale dove tutto è pura gioia, dove tutto è felicità e verità assoluta. I divertimenti di Krishna sono come le acque del Gange che scorrono dal piede di Vishnù purificando i tre mondi, i sistemi planetari superiori, intermedi e interiori[1].

C'è da chiedersi quanto i seguaci italiani della religione di Krishna siano in grado di comprendere una così vasta, complessa e in fondo estranea, mitologia. Il concetto stesso di *avatar*, il concetto di incarnazioni successive, le complesse genealogie delle famiglie rivali in cui Krishna e Vishnù si incarnano sono nozioni assai difficili da seguire. Ma ai devoti è chiesto soprattutto di attuare le azioni rituali, di seguire le cerimonie e di la-

[1] Cfr. «Ritorno a Krishna», in *Rivista del movimento Hare Krishna*, novembre 1992, pp. 6 e ss.
Per la storia dettagliata del Movimento cfr. Introvigne M., «Swami Prabhupada e gli Hare Krishna», in *Le Nuove religioni*, Milano, 1989, pp. 309 e ss.

sciarsi affascinare da Krishna, il bel dio dal volto azzurro, seducente e gioioso.

B. I fedeli di Sai Baba

In sale appositamente adorne che fungono da tempio si riuniscono centinaia e centinaia di persone che recitano preghiere in sanscrito in onore di divinità induiste. I canti e le preghiere chiamati *baijan* sono dedicati a figure per noi remote e lontane. Si prega il dio Ganesh dal volto di elefante; si prega la dea Durga, la Terribile, imbrattata di sangue, si canta per la dea Kalì, si prega Vishnù e soprattutto Shiva, il dio che con la sua danza fa muovere tutto l'universo; «colui dai cui capelli scompigliati nasce il sacro fiume Gange; colui che tiene in mano il tridente e percuote il tamburo; colui che è il distruttore della paura e del ciclo della nascita e della morte». Così romani, genovesi, torinesi, milanesi, napoletani pregano divinità remote che appartengono a un immaginario culturale e a una simbologia che fino a pochi anni fa era confinata tra gli specialisti. La persona che ha riportato nel mondo il nome degli dèi legati all'induismo è Sai Baba, figura di santone, chiamato «l'uomo dei miracoli». Costui vive a Puttaparti, nell'India meridionale, vicino a Bangalore e ha creato il più grosso centro spirituale e culturale dell'India moderna: una università, un ospedale e vari tipi di scuole primarie portano il suo nome.

Il giovane mistico di Puttaparti annunciò nel 1940: «Sono Sai Baba», riferendosi a un asceta di Shirdi, nato intorno al 1856 e morto nel 1918, e ancora oggi venerato in India come un santo. Il giovane si proclamò nuovo avatar (cioè incarnazione plenaria) e continuatore di questo santo. La prova del suo carattere di avatar è data dai *siddhi*, cioè i segni straordinari, veri e propri miracoli che gli sono stati sempre familiari. Sai Baba dice di se stesso di essere un avatar plenario di Dio (mentre Gesù, Aurobindo, Rama Krishna sono solo stati avatar parziali). Egli si conferisce gli attributi di un Dio: è onnipotente, onnipresente e onnisciente. I suoi fedeli testimoniano le levitazioni e le apparizioni a migliaia di chilometri di distanza. Inoltre gli si attribuisce la conoscenza di molte lingue che non ha mai studiato. Il maestro di Puttaparti propone una nuova trinità composta dal primo Sai Baba di Shirdi (che sarebbe la sua precedente incarnazione), dall'attuale Sai

Baba, cioè lui, e dalla sua incarnazione futura, chiamata Prema
Sai Baba che apparirà dopo la sua morte che ovviamente il santone conosce già, sarà l'anno 2022. Molti discepoli attendono l'avvento dell'età dell'oro insieme alla terza incarnazione. Le prete-
se del santo, straordinarie anche per un maestro indiano della
nuova generazione, sconcertano molti, ma centinaia e centinaia
di seguaci ne sono parimenti affascinati, e il movimento sembra
fiorente e in crescita.

Oltre a essere venerato in India come un santo, Sai Baba ha seguaci in tutto il mondo che si recano in pellegrinaggio da lui almeno una volta all'anno. In Italia i seguaci sono più di trentamila; costoro non trovano paradossale passare la domenica pomeriggio a cantare inni, a pregare e ad adorare divinità che non sono
quelle che appartengono per tradizione alla propria cultura.

La lingua sanscrita, «la più antica del mondo» (come viene
detta da Sai Baba) è la lingua degli dèi, la lingua del politeismo.
Nella tradizione induista gli dèi sono infatti milioni di milioni ma
è il personaggio di Sai Baba che galvanizza e affascina i fedeli.
Gli si attribuiscono guarigioni prodigiose e la capacità di mate-
rializzare anelli d'oro, orologi e rosari in pietre preziose. Una sua
specialità è quella di produrre una cenere considerata miracolosa,
chiamata «vibuti». Questa cenere, che ha un vago profumo di in-
censo e di rose, ha il potere di autoriprodursi: i fedeli giurano che
tale polvere posta in un bicchiere si riproduce nottetempo fino a
trasbordare dal bicchiere riempiendo il tavolo che lo sorregge.
Da un punto di vista antropologico il miracolo più eclatante di
Sai Baba è quello di aver esportato in Occidente una realtà culturale e religiosa del tutto estranea e di averla trapiantata senza ap-
parenti problemi in terra straniera. I fedeli si avvicinano al maestro quasi esclusivamente per le sue capacità taumaturgiche, ma
al di là della speranza perenne nel miracolo, sciami di immagini e
di simbologie insolite trasmigrano da Oriente verso Occidente.
Nel libro di preghiere che viene dato ai fedeli, i canti in sanscrito
hanno una traduzione italiana ma nessuno si preoccupa di spiega-
re la mitologia in cui le figure divine sono inserite. Così il canto
diventa pura espressione vocale, «vibrazione», come del resto il
maestro si affanna a ripetere. La preghiera funziona in sé e per sé
con la sua ripetitività, con la sua musicalità. Tutto ciò viene accettato dai fedeli con estremo entusiasmo e mi ha sorpreso per il
fatto che, se la stessa propaganda fosse fatta per il rosario maria-

no, troverebbe sicuramente notevoli ostacoli, dato che si è sempre accusata la preghiera cristiana di essere ripetitiva e in fondo automatica. Ma attraverso la conoscenza dell'Oriente veniamo a scoprire che la preghiera ha un potere in sé, in quanto tale: famosa in questo senso è la ruota di preghiera tibetana su cui sono incise formule propiziatorie, inni e invocazioni che viene mossa dai fedeli e che continua a girare automaticamente: quel movimento è l'essenza della preghiera.

Sai Baba, che ha in qualche modo occidentalizzato il suo messaggio, fa continuamente riferimento ad altre divinità: nel suo tempio è presente l'immagine di Cristo, venerato insieme a Maometto, Zoroastro, Buddha e ovviamente Allah. Ma ciò non toglie che i seguaci di Sai Baba qui in Italia abbiano abbandonato completamente le tradizioni proprie per abbracciare con zelo tradizioni estranee. Il modo di vestire, la pratica del digiuno e del vegetarianesimo caratterizza i seguaci di Sai Baba e così pure il tempo dedicato alle preghiere e il tempo dedicato al proselitismo e alla cura dei templi.

Che cosa insegna in fondo il maestro? Non si trovano nelle sue parole memorabili delle complicate dottrine filosofiche, ma semplicemente consigli di vita che possono essere utilizzati in differenti e spesso anche contraddittorie situazioni. Il messaggio quindi è semplice: il maestro è il salvatore, è un avatar, è l'incarnazione plenaria della divinità ed è egli stesso Dio: segui i suoi insegnamenti, abbandonati a lui e sarai felice[2].

C. Il sincretismo di Osho

Bhagwan Shree Rajneesh, che negli ultimi anni si fece chiamare Osho, cominciò a organizzare campi di meditazione nel 1964 in India, nel Rajastan. Nel 1974 fondò un *asharam* a Puna in cui entrarono molti occidentali. Nel 1981 si stabilì negli Stati Uniti, nell'Oregon, dando vita a una comunità in cui confluirono più di 7000 persone. Le attività degli Arancioni erano varie e articolate: aziende agricole, case editrici, piccole fabbriche, alberghi, università.

Osho mise a punto un sincretismo assai originale fra varie dottrine orientali. Si possono identificare nella sua predicazione ele-

2 Cfr. Introvigne M., *I nuovi culti*, Milano, Mondadori, 1990, pp. 67 e ss.

menti portanti, come quelli desunti dall'induismo, dal tantrismo, secondo i quali tutto è sacro, compreso l'atto sessuale, anzi il sesso è un mezzo per progredire nell'ascesi spirituale, per arrivare a trascendere la sessualità senza reprimerla.

Il buddhismo è presente nel gusto del paradosso, tanto caro ad Osho mentre le pratiche yoga hanno una parte preponderante nella prassi della meditazione e della danza. Osho attinge a piene mani nelle tradizioni di tutto il mondo dalla mistica Sufi (di cui si praticano le danze estatiche e i rituali di trance) agli scritti dello Pseudo Dionigi l'Aeropagita, dall'alchimia tardo-medioevale alla religione di Zoroastro, dai hassidim ebraici a Eraclito.

Egli però si burla delle religioni e della morale tradizionale e in questo senso si ispira massicciamente a Friedrich Nietzsche delle cui opere il «maestro» propone continui elementi, sempre omettendo di citare la fonte: «Diventa ciò che sei», «Voi guardate in alto perché cercate elevazione, io guardo in basso perché sono elevato...».

Altri autori sono riscontrabili nel messaggio «arancione»: come Freud, Jung, Adler, i saggi del Tao e persino Paolo di Tarso. La meditazione è il punto di forza di questa prassi religiosa. Esistono vari modi di meditare, ogni adepto o *sanyasi* può scegliere il modo che gli è più congeniale. I seguaci devono osservare tre precetti: vestire sempre con colori «caldi» che vanno dall'arancione al bordeaux, portare al collo il *mala*, che è una collana di perle di legno con il ritratto di Osho, e infine sottoporsi all'iniziazione durante la quale si riceve un nome nuovo. Osho affermava di aver fatto una parte del cammino interiore con il Buddha, ma poi l'Illuminato gli era sembrato eccessivamente ascetico... Ha camminato con Gesù; ma non avrebbe mai condiviso il Calvario (*sic!*). Eppure le parole del maestro sono state linfa vitale per i suoi discepoli, anche se appaiono estremamente contraddittorie, paradossali e spesso istrioniche.

Infatti il nocciolo del suo insegnamento è stato di negare ogni insegnamento. Non esiste per Osho nessun Dio né l'aldilà dopo la morte. Ognuno deve percorrere la sua strada e può farlo solo dubitando di tutto: «Dubita e dubita radicalmente, perché il dubbio è un processo di purificazione, sottrae alla mente tutto il pattume che la ottunde. Ti rende di nuovo innocente, torni a essere il bambino che genitori, preti, politici, educatori hanno distrutto», diceva il maestro ispirato. E ancora: «Una persona morale resta "stupida" e priva di intelligenza perché dipende dalla guida degli altri». La continua affermazione che bisogna «accettarsi come si è col proprio corpo, i propri istinti, i propri desideri».

Il successo di Osho risiede in un paradossale e superficiale sincretismo ma soprattutto in un furbesco compromesso che permette di conciliare tutte le esigenze, come la ricerca della totale libertà e del piacere, il tutto sublimato come superiore e felice conquista spirituale della propria autenticità[3].

Più il guru predicava:«Non seguitemi, non abbiate fede in me, siate solo voi stessi», più gli adepti lo idolatravano, lo vedevano come un semidio dotato di poteri magici. E questa divinità vestita di seta con una settantina di Rolls-Royce accumulava una enorme fortuna.

Oggi dopo la morte di Osho nel 1990 gli Arancioni (tre milioni nel mondo) si dedicano a vari tipi di «cure» alternative proponendo massaggi, ipnosi, bio-energetica, riflessologia plantare, medicina olistica e chi più ne ha più ne metta.

2. I sentieri dello yoga

> Dominando il soffio vedrai forme sottili:
> la nebbia, il fumo, il vento, la lucciola,
> la folgore, il cristallo e la luna. Nel
> soffio tutto diventa Uno e l'Uno è Brahman
> – Purusa – Atman.

Oggi in Occidente si intende per yoga un insieme di pratiche ginnico-psicologiche che servono fondamentalmente al rilassamento e al benessere fisico. In realtà lo yoga è un complesso sistema filosofico-ascetico fiorito in India tra il VII e il V secolo a.C. Il termine etimologicamente è connesso al latino arcaico *iugum*, giogo e indica unione, congiunzione, unificazione delle varie potenze dell'anima e dell'anima stessa col principio supremo. Ogni scuola classica dello yoga ha utilizzato questo concetto per esprimere la sovranità dello spirito sui sensi e il dominio della vita psichica, soprattutto nell'ascesi e nella meditazione.

I sistemi filosofici connessi allo yoga non sono considerati or-

---

[3] Per un'analisi approfondita cfr. Mayer J.F., *Le nuove sette*, (trad. it.) Genova, Marietti. 1987, pp. 32-35.

todossi dai bramini in quanto non si fondano sui testi sacri dei *Veda* ma su testi successivi, variamente articolati da scuole di pensiero differenti. Tali scuole presentano due impostazioni diverse: la prima mette l'accento sul dominio del corpo (sia in senso materiale che spirituale) per convogliare le forze interne verso l'acquisizione di stati superiori di coscienza. In questo ambito abbiamo l'Hatha-yoga, il Laya-yoga e il Tantra-yoga.

La seconda impostazione inserisce concetti riguardanti la divinità o principio assoluto universale. Le quattro vie principali di questo filone sono il Raja-yoga o yoga reale, il Bakti-yoga, lo Jñana-yoga e il Karma-yoga. Questi sistemi tendono a riunire l'anima individuale con il principio assoluto universale detto *Brahman Atman* attraverso la attivazione di un principio sovra-personale chiamato *buthi* che è proprio di ogni anima e ne costituisce la parte più pura. Questo principio, il buthi, è in grado di trascendere le limitazioni della coscienza individuale di ognuno di noi.

Le varie vie o sentieri dello yoga si fondano su differenti facoltà: il *Raja* si basa sulla volontà, il *Bhakti* sull'affezione e sulla devozione, l'*Jñana* sull'intelletto, il Karma sull'azione sociale disinteressata. Lo yoga implica anche una disciplina personale sia fisica che etica, una via di salvezza che può essere raggiunta senza l'intervento rituale dei sacerdoti e mediante solo autodisciplina personale. In questo senso è da intendersi il concetto di yoga nel buddhismo e nel giainismo. In quest'ultima religione è presente il concetto soltanto e non la parola, la quale nella terminologia giainistica assume il significato paradossalmente diverso di «attività mondana». Nei primi secoli dell'era cristiana il termine yoga assunse un significato più ristretto e preciso e diventò la designazione di una delle sei scuole filosofiche ortodosse, le quali non sono sistemi omogenei ma un insieme di riflessioni, di pratiche ascetiche e di considerazioni morali. Il redattore dei testi più noti fu Patanjali la cui epoca di nascita è assai dibattuta: oscilla infatti dal II secolo a.C. ai primi secoli dell'era cristiana. Egli redasse lo *Yogasutra* che mutua le dottrine fondamentali da una antica scuola chiamata *Samkya*, la quale ipotizza due principi eterni, indipendenti l'uno dall'altro: uno attivo, cioè la natura primordiale inconscia chiamata *Prakrti*, e uno passivo, cioè un'infinità di anime identiche, coscienti chiamate *Purusa*. Mediante il giuoco dei suoi tre elementi costitutivi o *gunas*, la Prakrti seduce il Purusa che si congiunge con lei. Da questa unione hanno origine (in una serie evolutiva di elementi sempre più concreti) tutte le parti costitutive del mondo empirico sia psicologiche che fisiche cioè quella realtà apparente chiamata samsara. Tutti i processi dinamici, da quelli cosmici e fisici a quelli individuali e psichici, sono opera della Prakrti. La redenzione avviene quando il Purusa prende coscienza che egli nulla fa e sente e si separa definitivamente dalla Prakrti per ritornare alla sua eterna e immutabile passività. Tale redenzione avviene anche per opera dell'uomo: la conoscenza della verità e la pratica dell'ascesi sono i mezzi per strappare il Purusa da un'errata identificazione e restituirlo alla sua impassibilità. Lo yoga di Patanjali aggiunge poi a questa antica dottrina samkya la nozione teistica di *Isvara*, monade spirituale suprema da cui procedono per polarizzazione interna sia Purusa che Prakrti. In questo modo viene risolta una dualità che il sistema più arcaico presenta come primordiale e assoluta. Va detto per inciso che queste teorie si intrecciano con la dottrina della Shakti e quindi influenzano profondamente anche il tantrismo. Siamo comunque ben lontani dalle pratiche ginniche delle nostre palestre pseudo-orientaleggianti: lo yoga è una via realizzativa complessa e profondamente radicata nella cultura indiana.

I sentieri dello yoga esposti da Patanjali vengono identificati più frequentemente con il Raja-yoga o yoga reale che fa riferimento alla maestosa immutabilità del Purusa.

Tale pratica si articola in otto fasi: la prima riguarda la disciplina morale che comprende una serie di astinenze dalla violenza, dalla menzogna, dalla bramosia e dai piaceri puramente carnali. La seconda è la purificazione corporea e spirituale che prevede uno studio del sé. Vi è poi la giusta posizione e l'esatta osservanza delle maniere di collocare il proprio corpo per la meditazione. La quarta fase riguarda la regolazione e dominio del respiro, mentre la quinta è la rimozione degli organi dei sensi dagli oggetti esterni come inizio del distacco del Purusa dalla illusione manifestante. Tali gradi sono solo stati preliminari, mentre le ultime fasi riguardano gli stati mistici come la fissazione del pensiero sopra un oggetto spirituale determinato, la meditazione durante la quale tale oggetto riempie completamente il pensiero e la contemplazione o *samadhi* nella quale anche questa idea viene rimossa e colui che medita si immerge totalmente in una privazio-

ne di coscienza. Con questo stadio il suo Purusa viene finalmente separato dalla Prakrti. Attraverso questa prassi, che non
può essere svincolata dalla filosofia religiosa che la sostiene,
si possono raggiungere i celebri prodigi tanto decantati dagli
yogin come la insensibilità rispetto alle ferite e alle ustioni, la
capacità di lungamente digiunare, la letargia artificiale o morte apparente, la telepatia, doni di ipnotizzazione e capacità di
guarigione.

Questa parte dello yoga viene detto anche Hatha-yoga o «yoga
dello sforzo». Il cosiddetto Laya-yoga o «yoga dello spegnimen-
to» si preoccupa di fondare teoricamente questi risultati attraverso una singolare fisiologia (la quale è oggi di gran moda) che
concepisce il corpo umano come immagine del macrocosmo e
stabilisce tra gli organi sessuali e il capo sette centri congiunti
mediante ruote o chakra, i quali corrispondono in parte agli elementi cosmici. Il più alto dei quali è il «loto dalle mille foglie», si
trova sotto la scatola cranica e corrisponde alla sede del dio Shiva. Le pratiche servono soprattutto ad attivare la potenza miste-
riosa che dorme nel chakra inferiore simboleggiata dalla serpe
kundalini e di condurla attraverso i chakra fino alla sommità del
capo. Questo risultato finale viene presentato come unione della
Shakti con Shiva. Per quanto questa fisiologia possa sembrare
fantastica non è però del tutto campata in aria poiché con l'aiuto
di essa gli yogin raggiungono un dominio del corpo straordina-
rio. I chakra sembrano corrispondere al sistema neurovegetati-
vo che gli yogin indiscutibilmente possono controllare con
tecniche appropriate[4].

Mentre il Raja-yoga ha un contenuto religioso di grande rilevanza, l'Hatha-yoga e il Laya-yoga sboccano spesso in pratiche
magiche e attività terapeutiche. In Italia esistono centinaia di
centri, associazioni e gruppi che pretendono di praticare lo yoga
spesso premettendo un Hatha o Laya alle loro attività. Le palestre frequentate personalmente da chi scrive non hanno alcuno
spessore culturale né propongono in maniera esaustiva i punti di
riferimento filosofici e religiosi che a tale pratica appunto si riferiscono e che nel territorio indiano fanno da sfondo e da sostegno
alle pratiche cosiddette «magiche».

---

[4] Il testo più attendibile resta quello di Eliade M., *Tecniche dello Yoga*, Torino,
Boringhieri, 1984.

A. Yoga e meditazione

Varie forme di meditazione orientale sono presenti oggi in Occidente e in Italia. Val la pena di soffermarsi sulla pratica nota come Meditazione trascendentale diffusa nel mondo da Maharishi Mahesh Yogi, fondatore dell'Associazione Meru. Costui alla fine degli anni '60 riscosse un enorme successo soprattutto nell'ambito della controcultura occidentale. Alle sue pratiche aderirono personaggi dello spettacolo come i Beatles, i Beach Boys e attori come Mia Farrow, solo per fare i nomi più prestigiosi. Negli anni '70 il Maharishi in Occidente ripropose una versione più secolarizzata della sua meditazione trascendentale. Oggi i seguaci di questa pratica insistono nel conferire alle loro attività la veste di una semplice tecnica di rilassamento scientificamente fondata e religiosamente neutra. L'associazione stessa propaganda la sua attività in questi termini: «La meditazione trascendentale è una tecnica evolutiva molto semplice ed efficace che permette di raggiungere un livello di rilassamento molto profondo in maniera naturale. La naturalezza, la grande efficacia e la semplicità di questa tecnica evolutiva la rendono utile». Questo è il foglio pubblicitario della stessa setta ma, a un'analisi più approfondita lo sfondo di questa pratica è chiaramente legato allo yoga: basterebbe pensare al nome del fondatore Maharishi Mahesh Yogi che significa «Mahesh il grande saggio che ha raggiunto l'unione» cioè lo yoga. Egli stesso del resto ha affermato che lo yoga è il sentiero dell'unione e il cammino diretto per sperimentare la natura essenziale della realtà. Senza dubbio anche a detta di molti esperti la meditazione trascendentale si rifà all'Jñana-yoga ossia allo yoga della conoscenza e il Maharishi fa sue le finalità della contemplazione quali risultano dallo Yogasutra di Patanjali. Il fine ultimo di ogni meditazione è quindi la liberazione del Sé e l'unione con Dio. La prassi si concentra sui tre ultimi stadi dello yoga e pone l'accento sull'ottavo, il samadhi: «quando la mente arriva al samadhi ossia alla conoscenza trascendentale la finalità di tutti i sentieri viene raggiunta». Ma la meditazione trascendentale costruita ad *usum occidentalis* fa fuori in maniera drastica i primi cinque stati della pratica yoga, soprattutto le dottrine ascetiche e morali che abbiamo già esaminato. Il maestro afferma che i suoi adepti occidentali raggiungeranno uno stato interiore in cui senza sforzo l'onnipotenza della natura sarà a loro disposizione.

Tutti i loro voleri saranno esauditi «nel modo più generoso e glorioso». Il senso della rinuncia viene quindi completamente trascurato o addirittura stravolto in favore della ricerca del benessere e della autorealizzazione. Stranamente quindi la meditazione trascendentale che scaturisce da una tradizione religiosa di elevata spiritualità si connette ai vari movimenti del potenziale umano, cioè a quelle prassi che tendono allo sviluppo delle potenzialità latenti o presunte della persona al fine di ottenere il successo mondano. Le famose siddhi o potenze magiche (così secondarie per lo yoga classico di Patanjali) assumono una importanza determinante. Le siddhi permetterebbero di potenziare le proprie energie al punto di ottenere un maggior successo economico e un benessere puramente materiale. Siamo agli antipodi dello yoga classico (e delle teorie del Vedanta) per le quali il fine dell'attività religiosa culminava nell'esperienza che consente all'uomo di prendere coscienza dell'identità del Sé e di Dio, dell'*atman* e del Brahman. «Chiedi ciò che è Brahman? È il tuo stesso atman, lo spirito che permea tutto: *tat tvam asi*-anche tu sei quello.» Nelle filosofie tradizionali si postulava una identità totale tra la nostra più profonda intimità spirituale e l'anima universale, l'Assoluto divino, il Brahman. Penso che non debba sorprendere che coloro che praticano anche con zelo la meditazione trascendentale mai siano riusciti (anche se dichiarano diversamente, mentendo in maniera spudorata) a ottenere quel controllo del corpo e quella potenzialità miracolosa che i grandi yogin legati allo spirito universale hanno forse a volte raggiunto.

B. Centri di yoga

La figura che ha reso noto in Occidente la cultura mistico-filosofica dell'induismo e dello yoga è stato sicuramente Paramahansa Yogananda. La pubblicazione (nel 1946) del suo libro *Autobiografia di uno yogi* fu un successo grandioso e fu fonte di ispirazione per numerosi discepoli. Il testo fa riferimento all'esperienza personale di Yogananda il cui nome significa «yoga è benedizione». Egli si riallaccia alla tradizione dei suoi maestri che erano chiamati e venerati come *Kriya-avatar*, cioè avatar nella linea del dio Shiva e possessori dei segreti del Kriya-yoga. La scienza del Kriya-yoga ha uno sfondo segreto che viene trasmesso da maestro a discepolo. Secondo le parole stesse di Yogananda la parola significa «unione con l'infinito attraverso una data azione o rito»[5].

Uno yogi che segua scrupolosamente la tecnica Kriya viene progressivamente liberato del karma, l'inesorabile legge di causa-effetto che porta a successive reincarnazioni. «Il Kriya-yoga è metodo semplice di tipo psicofisico, mediante il quale il sangue umano viene purificato dell'anidride carbonica e risaturato di ossigeno.» Così si definisce questa «antica scienza» che Yogananda legittima attraverso collegamenti con la fisiologia occidentale. Secondo Yogananda il Kriya-yoga «è la stessa scienza che Krishna il più grande profeta dell'India diede migliaia di anni fa ad Arjuna e che fu conosciuta da Gesù Cristo, da San Giovanni, da San Paolo e da altri suoi discepoli»[6].

Il Kriya-yoga consta di disciplina corporea, controllo mentale e meditazione sull'Om. L'autore più importante dei testi yoga, Patanjali, parla di Dio come «il reale suono cosmico Om che si ode nella meditazione. Om è la parola creativa, il suono del motore vibratorio, il testimonio della divina presenza». Secondo quindi questa tecnica (in parte segreta) la liberazione può essere raggiunta mediante quel soffio vitale cui si arriva separando i processi dell'inspirazione e della espirazione. Gli antichi yogin scoprirono che il segreto della coscienza cosmica è intimamente legato alla padronanza del respiro. Dice Yogananda: «Questo è il contributo impareggiabile e immortale che l'India ha portato al patrimonio di conoscenza del mondo. La forza vitale, che normalmente viene assorbita dal compito di sostenere il pulsare del cuore, deve essere liberata per svolgere attività più elevate, con l'aiuto di un metodo per acquietare le incessanti esigenze del respiro»[7]. Yogananda parla insistentemente del sistema astrale di ogni essere umano collegato alle costellazioni dello zodiaco. Nel testo afferma di essere stato permanentemente in contatto con il suo maestro che gli trasmetteva informazioni da un misterioso Pianeta illuminato, abitato da esseri intelligenti che dovevano liberarsi del loro karma astrale e giungere così alla liberazione totale dei rischi di nuove rinascite. Questi erano persone altamente sviluppate spiritualmente che avevano già superato alcuni stadi

[5] Yogananda P., *Autobiografia di uno yogi*, (trad. it.), Roma, Astrolabio, 1971, pp. 228.
[6] *Ibid.*, p. 229.
[7] *Ibid.*, p. 229.

mistici della tecnica yoga. Il messaggio più interessante del maestro di Yogananda riguarda la struttura dell'universo astrale che è «popolato da milioni di esseri che vi sono giunti dalla Terra in periodi più o meno recenti e anche da miriadi di fate, sirene, pesci, animali, folletti, gnomi, semidei e fantasmi. Tutti risiedono in pianeti diversi secondo le loro qualifiche karmiche»[8].

Questo romanzo cosmico è filtrato ampiamente nelle visioni astrali della New Age. Ma a parte tali bizzarrie Yogananda ha tentato una sintesi coraggiosa tra varie forme religiose, tenendo tra l'altro in grande considerazione la figura di Gesù Cristo, convinto com'era che fosse un grande maestro yogi. Il centro di collegamento fra le scuole Yogananda è a Los Angeles. In Italia abbiamo diversi centri di cui il più noto si chiama Ananda Europa, ha sede in Umbria presso Assisi e propone meditazioni sui testi del Maestro e pratiche yoga ispirate alla scuola dei Kriya-avatar.

Il centro Bole Baba si rifà a un mitico Babaji uno dei più famosi Kriya-avatar, cioè incarnazione o manifestazione di Shiva in possesso dei segreti del Kriya-yoga. Oggi il misterioso Babaji è stato visto un po' dappertutto, comprese le pendici dell'Himalaya dove poi avrebbe fondato un ashram. Il centro Bole Baba è frequentato da circa 500 persone, ha una casa madre a Cisternino in provincia di Brindisi e una a Milano. A Babaji sono attribuiti numerosi miracoli.

Allo yoga si riconnette anche l'università spirituale mondiale *Brahma Kumaris* fondata nel 1937 nel Pakistan da Dada Lek Raji, un mercante induista che affermò di avere avuto delle visioni: gli apparve un giorno l'essenza benedetta del dio Shiva, l'anima suprema. Da allora Dada Lek abbandonò ogni negozio e fondò il Brahma Kumaris, che ebbe come punto di forza la pratica del Raja-yoga. «La meditazione che si pratica nel Brahma Kumaris non è un rifiuto del mondo ma una preparazione per la vita nel mondo. Il distacco insegnato porta con sé una obbiettività che rende l'attività costantemente positiva.» Così si legge nel volantino che pubblicizza questo gruppo. Si afferma ancora che lo yoga non ha bisogno di mantra, posizioni speciali o tecniche di respirazione né la presenza di un guru: lo yoga si pratica normalmente seduti con gli occhi aperti. All'adepto si insegna a «comprendere la mente» e successivamente a liberarne i poteri nasco-

[8] *Ibid.*, p. 337.

sti «fino a crescere nella realizzazione della natura dell'essere supremo». Il movimento (che ha la sua sede centrale sul monte Abu nel Rajastan) è fondamentalmente governato da donne (kumaris infatti significa donne nubili). Secondo le loro stime, oggi nel mondo più di duecentomila persone praticano il Raja-yoga. Coloro che appartengono a tempo pieno a questa organizzazione vivono nel celibato, si vestono di bianco e sono vegetariani.

Anche il movimento *Ananda Marga* propone una sintesi delle pratiche tantriche dello Hatha-yoga con in più un aspetto sociopolitico nuovo. I candidati alla conversione seguono un breve corso teorico dopo il quale subiscono un rituale di iniziazione guidati da un maestro e apprendono le tecniche di respirazione e un mantra miracoloso che serve per dirigere le menti verso la consapevolezza suprema; esso è: *ba-ba nam -kevalam.*

La pratica della meditazione è uno degli obblighi dell'adepto come anche una serie di regole che riguardano la pulizia, la dieta, (che è rigorosamente vegetariana ed esclude anche l'aglio e le cipolle). Il movimento si definisce non come una religione ma come uno stile di vita collegato a una filosofia e a una organizzazione spirituale a sfondo sociale. Il concetto-base formulato dal fondatore Ananda Murti (morto nel 1990) consiste nell'idea che la civiltà umana si trovi di fronte a un momento finale e a una transizione critica. «L'alba di una nuova gloriosa epoca si trova da un verso e lo scheletro divorato dai vermi del passato, dall'altro.» L'adepto deve scegliere una di queste prospettive e ovviamente salvare se stesso e il mondo. Anche in questo caso assistiamo a un riadattamento delle tecniche tantriche e dello yoga in funzione occidentale e a una contaminazione sincretica di elementi diversi in cui spiccano come molto particolari le teorie politico-sociali connotate da un forte anticomunismo.

Il movimento di *Sri Chinmoy* è nato negli Stati Uniti intorno al 1964 dopo un viaggio del maestro spirituale che decise di deporre la sua ricchezza interiore ai piedi di tutti i ricercatori sinceri. Oggi il suo gruppo conduce sessioni di meditazione alle Nazioni Unite e guida oltre cento centri di meditazione in tutto il mondo. La prassi religiosa che gli adepti devono seguire riguarda la meditazione (per almeno quindici minuti sia la mattina che la sera), l'astensione dalle droghe, dagli alcolici, dal tabacco e dalla carne. Contemporaneamente agli esercizi interiori di meditazione sono caldamente raccomandati anche gli esercizi fisici, e un certo numero di attività atletiche sono direttamente organizzate dal gruppo. Si tratta di nuoto, tennis, ciclismo, atletica leggera, sollevamento pesi: il motto popolare del movimento è «Corri e divieni». Si tratta di una tipica via Bakti-yoga o «della devozione» in cui l'abbandono all'amore divino tramite il maestro ha una importante funzione. Come in molte altre forme occidentalizzate di religiosità orientale, Sri Chinmoi non predica la fuga dal mondo ma la necessità di trasformare il mondo. Assai importante è l'iniziazione o *SiKsha* attraverso la quale il discepolo si abbandona al maestro e il maestro gli concede una parte del suo spirito[9].

3. *Il buddhismo*

> A tutte le azioni
> che muovono la vita
> ha rinunciato il saggio.
> Sereno nell'interiore
> Profondo nel meditare
> infrange la vita
> come fosse uno specchio.

Il buddhismo è forse la religione orientale che si propone come emergente in Italia. Da una stima approssimativa risulta che trentamila adepti sono già presenti nel nostro Paese. Nel 1986 si è formata l'Ubi, Unione buddhista italiana, a cui aderiscono venti centri principali. Esistono diverse riviste come *Paramita*, e *Siddhi Zen* in cui il messaggio del Buddha è diffuso fra gli adepti e i simpatizzanti. In Italia è presente anche il più importante centro per la diffusione del buddhismo tibetano: è l'Istituto Lama Song Kapa di Pomaia in provincia di Pisa. Si tratta di un punto di riferimento fondamentale per i buddhisti europei e ovviamente italiani. Ad Arcidosso in Toscana agisce la comunità Merigar con un centinaio di discepoli fissi che seguono gli insegnamenti del maestro tibetano Norbu che si ispira allo Dogs-Zen. Ma il gruppo più attrezzato per attirare proseliti è quello della Nichiren Shosho, setta giapponese che si ispira agli insegnamenti del monaco Nichiren (nato nel 1211).

Vediamo brevemente i concetti ispiratori del buddhismo.

---

[9] Cfr. Barker E., *I nuovi movimenti religiosi*, Milano, Mondadori, 1992, pp. 326-327.

Il principe Gautama della stirpe dei Sakya viveva tra agi, piaceri e ricchezze. A trent'anni, già sposato e con un figlio, vide per la prima volta uomini malati, sofferenti e agonizzanti. La macabra visione del dolore e della morte gli rivelò l'infinita vanità del tutto. Traumatizzato, lasciò il benessere del suo palazzo, fuggì dai suoi cari e, cambiati i suoi abiti con quelli di un mendicante, seguì due dotti bramini. Ancora insoddisfatto, si dedicò a solitaria ascesi, macerando il suo corpo nella penitenza. Un giorno mentre meditava sotto un albero, ebbe la rivelazione, l'illuminazione improvvisa circa la natura della sofferenza e il mezzo per eliminarla.

Era il V secolo a.C. Da allora Gautama fu il Buddha, il Risvegliato, l'Illuminato e predicò la sua dottrina. L'origine del dolore è la sete di vivere, *il desiderio*, che conduce entro l'interminabile ciclo delle rinascite, accompagnandoci con la cupidigia e il vano piacere. Spegnere questa brama di vita, annientare il desiderio: così si fa fronte al dolore. Il folle costruttore del desiderio ricostruisce sempre l'edificio delle passioni nuove e lo prolunga all'infinito, facendo sorgere, dall'appagamento di alcune, sempre nuove passioni. Occorre, disse il Buddha, annientare la sete di vivere con la purezza: purezza di fede, di volontà, di linguaggio, d'azione, di esistenza, d'applicazione, di memoria, di meditazione. Forte di tali dottrine, il buddhismo si diffuse rapidamente in India nel VI secolo a.C. come reazione al monopolio religioso dei bramini.

Rispetto alle tarde correnti dell'induismo la dottrina del Buddha era molto più semplice, facilmente comprensibile e di alto valore etico. Il suo procedimento è pragmatico, rifiuta come non necessarie le speculazioni che non mirino direttamente a liberare dalla sofferenza. Tale liberazione viene ottenuta eliminando la causa della sofferenza stessa che è insita nella caducità dell'esistenza, nell'essenza dolorosa del divenire che è la caratteristica del mondo empirico. Esso appare contrapposto al mondo dell'Assoluto che è immutabile ed eterno. Una parte costitutiva dell'individuo umano, il suo corpo, le sue percezioni sensibili, i suoi sentimenti fanno parte del mondo empirico. Soltanto la coscienza è originariamente considerata eterna e appartenente alla sfera dell'Assoluto. La via della salvezza consiste nel liberare a poco a poco la coscienza dalle catene dell'elemento caduco fino a che non raggiunge «il luogo da cui non si può più cadere fuori» cioè uno stato dopo il quale non si rinasce più. Questo stato è anche chiamato nirvana ossia «estinzione» dalle condizioni materiali del mondo fenomenico. Il nirvana indica anche l'aldilà, uno stato ineffabile e l'assoluto mistero. Il sistema buddhista si dispiega in tre «gioielli» cioè nelle tre verità che sono il *Buddha*, la dottrina o *Dharma* e la comunità o *Sangha*. I buddhisti tacciono sul problema di Dio di cui non negano esplicitamente la realtà ma non si esprimono neppure e non parlano in ogni caso di un Dio personale e trascendente. Rispetto all'induismo il buddhismo portò la democratizzazione della religione che si rivolgeva non più a determinati strati sociali o etnologici ma più semplicemente a tutti gli uomini, superando i problemi di casta. La via della salvezza che conduce al nirvana è riassunta nel Sentiero a otto lati della purezza e costituisce per la sua moderazione un sorprendente contrasto con i metodi di salvezza raccomandati dall'induismo. Esso evita tutti gli estremi, sia la tendenza ai divertimenti mondani che l'ascesi troppo dura e l'inutile sacrificio. Questa moderazione ha meritato al buddhismo il nome di *Via Media*. Altre tre virtù costituiscono la via della salvezza: l'etica, la conoscenza e la meditazione. L'etica viene fortemente valorizzata: infatti il ritualismo è soppiantato dalla disciplina morale, dal cambiamento intenzionale del valore del Karma, dalla accentuazione positiva dell'amicizia e della compassione che fanno del buddhismo la prima religione mondiale in ordine cronologico della compassione e della fratellanza. Nell'ambito del buddhismo dopo la morte del fondatore si ebbero scismi, divisioni e forme ereticali di ogni genere. Eppure il buddhismo si diffuse (in maniera sempre mite e direi quasi passiva) in tutte le regioni dell'Asia. Tra il II e il VI secolo d.C. il buddhismo raggiunse l'Indonesia, la Cina, l'Indocina, la Corea, infine il Giappone e il Tibet. In India si ebbe un processo inverso: il buddhismo inclinò verso la corrente detta «Veicolo Diamante», lasciò di nuovo il campo all'induismo e alla fine scomparve. Si è conservato più a lungo nel Bengala ma i conquistatori maomettani l'estirparono. Dal XIII secolo in poi il buddhismo nel sub-continente indiano si è conservato solo a Nord nel Nepal, nelle regioni dell'Himalaya e nel Sud, a Ceylon. La complessità degli scismi in seno al buddhismo può riassumersi in tre grandi correnti che corrispondono anche a tre luoghi geografici nei quali tali correnti ebbero maggior sviluppo. La prima è il cosiddetto «Veicolo Piccolo» o *Hinayana* che corrisponde (a detta dei seguaci) al buddhismo originario ed è oggi diffuso particolarmente a Ceylon e nel Sud-Est asiatico. La caratteristica del «Veicolo Piccolo» è la grande importanza data alla vita monastica. Inoltre, alcuni atteggiamenti psicologici rappresentano una particolarità. La realtà empirica, il samsara, è concepita come un numero indefinito di correnti individuali formate da molti fattori psicofisici momentanei e indivisibili che vengono chiamati *dharma*. Queste correnti non hanno nessun sostrato stabile, la loro continuità è dovuta alla concatenazione causale di tutti i dharma. La via della salvezza consiste nell'eliminare a poco a poco le correnti di tutti gli elementi che determinano altre formazioni fino a che la corrente non sia completamente estinta e non sia raggiunto lo stato di nirvana. Siccome queste correnti sono isolate l'una dall'altra, la salvezza è raggiunta solo individualmente: ognuno deve operare da solo la propria redenzione. L'ideale più alto dei seguaci del «Veicolo Piccolo» è il raggiungimento dello stato perfetto mentre un ideale ancora più alto è l'illuminazione (*bodhi*) che trasforma gli uomini in Buddha. In questa dimensione la compassione originaria del buddhismo diventa in realtà benevolenza indifferente e la partecipazione ai sentimenti altrui è priva di pietà. Grandissima importanza è data al monastero o *vihara,* originariamente solo un rifugio provvisorio per i monaci mendicanti, che poi divenne una vera e propria struttura. Il tipo buddhistico del «Veicolo Piccolo» della Tradizione Theravada è presente in Italia con differenti vihara (ve ne è uno a Sezze in provincia di Latina).

L'altra corrente principale del buddhismo è chiamata *Mahayana* o «Veicolo Grande», che non privilegia esclusivamente i monaci come il «Veicolo Piccolo» ma tutti i fedeli: l'ideale proposto o illuminazione (*bodhi*) è una possibilità raggiungibile da ogni essere. Questa elevata forma di redenzione non può essere raggiunta con sforzi individuali e indipendenti, ha bisogno di aiuto. L'aiuto è prestato dai *bodhisattva*, cioè da quegli esseri che sono giunti alle soglie del nirvana ma vi hanno rinunciato liberamente per aiutare gli altri nella via della salvezza. Siamo quindi molto lontani dall'egoismo soteriologico del «Veicolo Piccolo», anzi la compassione raggiunge nel «Veicolo Grande» la forma di un amore quasi passionale per il prossimo, per tutti gli esseri sofferenti. E i bodhisattva diventano l'oggetto di un vero culto e di un amore mistico. Contrariamente all'ateismo del «Veicolo Piccolo», il Mahayana, almeno nel suo aspetto popolare, appare come un politeismo molto variopinto in cui gli antichi dèi vengono soppiantati dalle innumerevoli incarnazioni del Buddha e dai bodhisattva. A una più attenta considerazione il Mahayana appare vicino all'induismo e si ricollega all'atteggiamento mistico coltivato nei circoli laici piuttosto che nei monasteri. Il problema del rapporto fra l'Assoluto e il mondo empirico riceve una soluzione fondamentalmente diversa. Se nel «Veicolo Piccolo» l'Assoluto era spostato nella sfera dell'inafferrabile, nel «Veicolo Grande» diventa l'unica realtà sperimentata negli stati mistici. La vita empirica è considerata come illusione, apparenza (*maya*) che costituisce la molteplicità non solo degli elementi del mondo esterno ma anche dei bodhisattva; così la realtà indifferenziata e tutte le cose e tutti gli esseri sono identici nella loro natura intima. In conseguenza di ciò si deve mirare non solo alla salvezza propria ma a quella di tutti gli esseri. Qui sta il fondamento dell'amore per il prossimo che in questo veicolo è così accentuato: si redime se stessi soltanto se si aiuta tutti gli altri, siano essi divinità o formiche, a redimersi. Questo tipo di dottrina è quella dominante oggi in Cina, nel Giappone, nella Corea e nell'Indocina.

Il «Veicolo Diamante» si confermò verso il VI secolo d.C. sotto l'influsso del tantrismo e della religione della Shakti. Tale scuola si diffuse non solo nell'India orientale ma nell'Indonesia e particolarmente nel Tibet. Il politeismo viene mantenuto, anzi arricchito di numerosi dèi nuovi e di dee che richiamano la Shakti induistica. Nel «Veicolo Diamante» esiste l'adorazione dei cinque principali bodhisattva. Questi esseri vengono propiziati mediante un processo magico-rituale molto complicato con la recita di formule magiche, con la meditazione su un disegno o *mandala* che rappresenta simbolicamente l'universo visibile e invisibile. Esistono anche pratiche erotiche molto simili a quelle del tantrismo. Il «Veicolo Diamante» parte dall'idea che il mondo apparente altro non è che manifestazione dell'Assoluto o nirvana. Quindi non c'è più bisogno di fuggire il mondo, anzi, persino nelle peggiori cose mondane si può trovare il germe della perfezione. Non bisogna reprimere le passioni per non distruggere il germe della perfezione contenuto in esse. Si deve invece asservirle alla propria salvezza. In questo modo anche l'unione sessuale potrà giovare alla salvezza in quanto in questo atto si sperimenta l'identità del samsara (mondo apparente) e del nirvana (l'Assoluto). Per conferire a queste azioni sessuali una forza magica bisogna conoscere il loro significato nascosto e agire secondo rituali consacrati. Il «Veicolo Diamante» ha quindi una fortissima componente esoterica. A detta di molti, questa dottrina ha contribuito alla alienazione e alla decadenza del buddhismo. La sua influenza, però, non fu sempre negativa: specialmente nel Tibet si trovano fra i consacrati al «Veicolo Diamante» dei mistici molto elevati.

Il buddhismo fu introdotto in Giappone nel 538 d.C. ed ebbe una grandissima fioritura anche se non mantenne la purezza originaria: si sincretizzò anzi con lo Shintoismo (la religione ufficiale del Sol Levante) e in alcuni casi persino con il cristianesimo.

Oggi il Giappone presenta un panorama di sette e nuove religioni assai interessante nel cui ambito (oltre alle varie sette Zen) fanno capo al buddhismo le religioni che si ispirano al *Sutra del Loto*, assai vivaci anche in Italia. Lo Zen si riallaccia alla vicenda del Buddha in meditazione sotto l'albero, lo stato meditativo estremo che gli permise la prima illuminazione. Il punto fondamentale di tutta la dottrina è quindi la meditazione che va eseguita spesso in forme inconsuete e paradossali al di fuori della trasmissione testuale. La pratica punta alla realizzazione spontanea dell'illuminazione o satori. La paradossalità della meditazione Zen elimina ogni contatto con forme particolari di dottrina e lancia la mente in uno stato di lucida presenza, in una vacuità che non conosce più concetti: perdersi nella presenza mistica, acquistare la natura del Buddha, toccare l'ineffabile: sono questi i doni che ci si aspetta dalla pratica Zen.

Le religioni che si ispirano al Sutra del Loto partono dalla riforma dottrinale del monaco Nichiren che visse intorno al 1230. Nichiren era animato da uno zelo religioso estremista che lo condusse a situazioni non prive di suspense. Riuscì a fondare una setta patriottico-militare-religiosa attribuendo al Sutra del Loto una qualità sacramentale.

Polemizzando con le varie correnti buddhiste, Nichiren giunse alla conclusione che tutta la «legge» fosse racchiusa nel Sutra del Loto. Recitare quindi la frase *Nam, Myoho Renge Kyo* («devozione al Sutra del Loto») è l'unica via di salvezza.

Tale preghiera, detta «daimoku», ha, secondo gli adepti, effetti miracolosi e immediati: può far passare il mal di testa, far trovare lavoro, evitare le contravvenzioni nel traffico, togliere la timidezza e i complessi di inferiorità[10]. Gli adepti in Italia sono più di 5000 e sono in costante aumento, data la capillare attività di proselitismo della setta. La facilità delle adesioni trova una sua giustificazione nel vuoto religioso che gli adepti riscontrano nella società italiana. Le pratiche devozionali si limitano alla recitazione del *daimoku*, alla lettura del *gonghio* (una preghiera più lunga) e al possesso del *gohonzon*, un altarino in cui sono racchiuse pergamene sacre. In Giappone esiste il movimento *Soka Gakkai* fondato nel 1975 da Doviseku Ikeda che fino al 1991 è stato il corrispondente laico della religione di Nichiren, anche se oggi i rapporti non sono più così ottimali[11].

4. *Nuove religioni giapponesi*

Sull'onda della secolarizzazione e del laicismo la religione tradizionale giapponese sembrava perdere terreno. Ma nella terra del Sol Levante sono comparse altre forme religiose, alcune delle quali sono state rapidamente esportate in Europa e accettate fervidamente in Italia. Una di esse rappresenta un caso emblematico. Si tratta della religione *Mahikari*, fondata nel 1959 da Yoshikasu Okada che prese poi il nome di Okada Kotama, «gioiello di luce». La principale caratteristica della dottrina Mahikari non è nell'insegnamento di teorie ma nella pratica dell'*Okiyome*, ovvero la trasmissione della luce. Questo rituale fondamentale è il centro e il fulcro di tutta la religiosità del gruppo. La luce è data da un officiante ai fedeli in una situazione «mesmerica» e incantata attraverso il palmo della mano che viene rivolto prima alla fronte del fedele poi al collo e infine ai reni. Il potere e l'autorità di conferire la luce vengono dati attraverso l'*Omitama*, un amuleto che si riceve dopo la cerimonia di iniziazione che conclude i tre giorni del corso elementare delle dottrine di questa fede.

Oggi in Italia esistono strutture organizzate della religione Mahikari con una ventina di centri per la trasmissione della luce, fondamentalmente a Genova, Milano e Roma, e la religione si sta

---

[10] Si tratta della volgarizzazione dell'idea buddhista che esiste una legge karmica universale che opera all'interno delle coscienze e con la quale si può entrare in contatto attraverso la recitazione della preghiera.

[11] Nakano T., «Soka Gakkai and its Peace Mouvement», in *Religion Today*, vol. 7, 2, 1992.

rapidamente espandendo. Gli iniziati trasmettono la luce con entusiasmo, nelle loro stesse case e adesso anche in locali che vengono presi in affitto. Infatti, quando un gruppo di almeno venti persone si riunisce intorno a un officiante, si fa richiesta per ricevere gli oggetti consacrati che consistono nel *Goshintai*, ovvero il rotolo di pergamena consacrato, dove è scritto in giapponese la parola Mahikari, e il *Kuon* che è il simbolo della divinità chiamata Su dal quale in realtà emana la luce divina.

Ma l'oggetto di culto più importante è la statua di Izu Nomesama, il dio che rappresenta la materializzazione dell'energia spirituale che è venerata e dal quale si ricevono i benefici materiali. Il possesso di questi oggetti di culto permette di fondare un gruppo consacrato da cui si può operare sia in senso terapeutico sia in senso di trasmissione della luce. Il punto di forza della religione è infatti rappresentato dalla capacità terapeutica. La religione Mahikari (letteralmente «luce di verità») vuole collocarsi al di sopra delle parti; infatti nel testo diffuso a cura del movimento si legge: «Mahikari non costituisce una religione nuova nel senso comune del termine, ma impartisce insegnamenti che si collocano al di là degli insegnamenti abituali delle religioni o delle sette, e che sono destinati a tutti gli uomini».

Il 3 novembre 1984 è stato inaugurato in Giappone a Takayama un grande tempio dedicato al dio Su, per permettere così agli uomini di tutte le razze e di tutte le religioni di unirsi al fine di venerare il creatore dell'universo e dell'umanità, identificato con una divinità preesistente del pantheon giapponese.

Il Giappone è considerato comunque la terra delle origini e il cuore del continente Mu che fu il centro del mondo. Nel tempio di Suza, a Takayama, chiamato il «centro del mondo», gli adepti sono ricevuti con queste parole: «Benvenuti in patria», parole che vengono ripetute ogni volta che si entra in tempio Mahikari. La pratica rituale fondamentale, che è quella dell'emanazione della luce, è vissuta come un rito di purificazione. La luce infatti fondamentalmente non serve tanto a illuminare quanto a purificare sia il corpo fisico dell'adepto che il corpo astrale. La luce espelle gli spiriti malvagi, si mescola con le tossine del corpo e le getta via *purificando* e facendo guarire l'adepto da ogni male.

Le pratiche rituali legate all'amuleto sacro, il famoso Omitama, sono circondate da numerosi tabù che riguardano la purezza; è necessario avvolgere l'amuleto in varie coperture che devono

essere di seta, occorre purificare la scatola dove deve essere ripo-
sto e appenderlo con un chiodo che è stato a sua volta oggetto di
purificazione. Se uno di questi tabù viene trasgredito o se per
esempio l'amuleto cade a terra o in un luogo non purificato, si
devono compiere numerosissimi riti di espiazione che sono al limite della paranoia.

Così l'adepto impara ed esegue una serie di rituali che riguardano la purificazione degli individui, del cibo, del denaro, delle
cose e addirittura della natura circostante come ruscelli, piante e
delle intere città. Oggi questi riti di purificazione sono strettamente connessi a necessità ecologiche e quindi sono recepiti come
istanze attuali anche se la loro origine è nell'antico culto giapponese scintoista.

I peccati nel senso tradizionale cristiano sono ignorati dalla religione Mahikari; l'unica concessione all'apparato concettuale
dell'Occidente è che la purificazione attraverso la luce è vista
come una formula espiativa anche dei peccati. Così la grande purificazione della città di Amsterdam compiuta nel 1988 fu letta
dai cristiani calvinisti come una purificazione della città estremamente licenziosa e dedita a passatempi proibiti.

L'idea centrale che gli adepti sembrano accettare senza alcuna
difficoltà è quella che riguarda gli spiriti degli antenati i quali
sono in grado di possedere e invasare i corpi dei loro discendenti
e che hanno necessità di essere nutriti con cibo umano. Gli spiriti
si reincarnano ogni due-trecento anni, esiste quindi la possibilità
di espiare la propria impurità in vite successive; la reincarnazione è del resto una verità di fede presente sia nello scintoismo che
nel buddhismo, ma comunque assolutamente estranea alla dottrina cristiana dell'Occidente[12].

Accade anche che molti iniziati siano all'interno della religione
ma non ne conoscano tutte le pratiche e tutte le teorie. Uno degli
elementi di maggior successo della religione Mahikari è la capacità
di guarigione; secondo gli adepti la trasmissione di luce permette di
ottenere risultati stupefacenti, in specie guarigioni spettacolari.

Mediante la trasmissione della luce gli spiriti malvagi che in-
vadono e possiedono il corpo sono purificati e trasformati in spiriti buoni che si porranno al servizio prima del dio Su e poi degli

---

[12] Cfr. Corneille C., *The Phoenix flies West, The Dinamic of Mahikari*, Lovanio,
Peeters Press, 1991.

uomini. La luce purifica gli animali, le piante, gli oggetti inanimati, il cibo che ci si appresta a mangiare. Si raccomanda tra gli adepti di ricevere l'Okiyome con la maggior frequenza possibile anche se non si è colpiti da alcuna malattia. Gli individui così purificati costituiranno i semi della prossima civiltà spirituale. Mahikari è ben altro che un metodo di guarigione: si tratta di una vera e propria religione che mette in pratica l'arte di purificazione tipica della mentalità e della religiosità giapponese.

Tutte le preghiere sono recitate in giapponese e non hanno alcuna traduzione tranne una breve formula nota come *Amazu No Rigoto*. Il fatto che si recitino preghiere in una lingua incomprensibile è fondamentalmente giustificato in senso misterioso ed esoterico. La lingua delle preghiere è definita non tanto quanto «giapponese», ma come *Kodo Dama*, cioè il linguaggio degli dèi. Il potere delle preghiere quindi riposa nel suono, nelle vibrazioni, nell'aura sonora che si crea e non tanto nel significato. Quindi, la completa incomprensibilità delle preghiere aggiunge a esse un alone di mistero e di potere magico. Simile capacità magica è attribuita al termine Mahikari che è scritto secondo l'ideogramma giapponese e che è impresso nell'oggetto di culto chiamato Goshintai.

5. *Sette islamiche*

> Il Sufi o amico
> è figlio dell'istante:
> nella sua via non
> conosce domani
> (Rumi)

L'Islam (letteralmente «abbandono» in Dio) è la religione fondata da Maometto (Mohamed). Intorno al 610 d.C. il profeta proclamò di avere avuto delle rivelazioni da Dio tramite l'arcangelo Gabriele, che furono trascritte fedelmente nel libro sacro, il Corano. La lotta di Mohamed contro il politeismo dominante tra le tribù arabe si incentrava su una visione di Dio desunta dal giudaismo e dal cristianesimo e rigorosamente monoteista. Dopo alcuni anni di insuccessi Mohamed emigrò nel 622 alla volta di Medina dove fondò una comunità teocratica diventando oltre che profeta anche politico e uomo di Stato. Dopo contrasti bellicosi di vario tipo, la religione dell'Islam si impose nel mondo arabo e dilagò a Oriente come a Occidente. Oggi si considera statisticamente l'Islam la seconda religione del mondo con 990.000.000 di credenti (i cristiani sono secondo una recente stima 1.000.700.000 circa). Secondo Maometto l'Islam non è una nuova religione ma il ritorno al monoteismo primitivo grazie alla rivelazione fatta scendere da Dio sul Profeta come era già avvenuto durante la storia a molti altri esseri privilegiati come Abramo, Mosè, Davide e Gesù. La rivelazione fatta a Mohamed, sigillo dei profeti, porta a compimento le esperienze profetiche e si propone come l'ultima e definitiva. La rivelazione è contenuta nel Corano libro increato, esistente presso Dio, rivelato al Profeta in lingua araba chiara e da questi poi proclamato (Corano viene da *Quran* «recitazione, proclamazione»). Il testo coranico raccolto e messo per iscritto dai primi seguaci del Profeta fu fissato nella versione ufficiale (oggi presente in tutto il mondo islamico) verso l'anno 650 d.C. L'Islam rappresenta una enorme varietà di famiglie spirituali, di diverse culture, di scuole teologiche e persino di sette eretiche, ma tutte, anche nelle loro espressioni differenti, si riconoscono nella professione del più assoluto monoteismo e nel riconoscimento del carisma profetico di Mohamed. La professione di fede proclama infatti questo: «Non c'è altro Dio al di fuori di Allah e Mohamed è il suo profeta». La fede quindi consiste nel credere in Dio, nei suoi angeli, nei suoi libri, nei suoi profeti, nel giudizio finale, e nella predestinazione per il bene o per il male. Oltre la professione di fede, l'Islam impone ai fedeli la preghiera rituale (*salat*) da farsi cinque volte al giorno secondo un rito ben preciso e preceduta da abluzioni cerimoniali, l'elemosina, che deve corrispondere al 10% delle proprie entrate, il digiuno durante il mese di Ramadan, e una volta nella vita il pellegrinaggio ai luoghi sacri dell'Islam. L'atteggiamento religioso non è limitato all'osservanza dei riti: è vissuto nell'adempimento della legge morale e in tutti gli atti e settori della vita personale, familiare e sociale regolata interamente dalla Legge, manifestazione positiva della volontà divina. All'interno dell'Islam vi sono gruppi e tradizioni differenti: la prima grande distinzione è tra i sunniti (la maggiore comunità islamica che prende il nome dalla Tradizione o Sunna) e gli sciiti (circa il 10% dei musulmani). Vi sono poi altri gruppi come gli ismailiti del Pakistan e dell'India, che riconoscono nell'attuale Aga Khan il 49° imam, o i drusi del Libano e della Siria che seguono dottrine esoteriche al limite dell'ortodossia islamica. L'Islam, religione «semplice», basata fondamentalmente su una serie di leggi da osservare, sembrerebbe l'ambito meno adatto per la fioritura di sistemi esoterici ma non è così: abbiamo numerose scuole (ancor oggi fiorenti dopo vari periodi di stasi) che si interrogano sul rapporto personale tra l'anima e Dio e mettono a punto una visione misterica assai interessante.

Pur essendo sostanzialmente una forma di giurisprudenza religiosa, l'Islam presenta anche una tendenza verso il misticismo, che fiorisce nelle confraternite e si differenzia in varie correnti spirituali. La più importante va sotto il nome di sufismo. Il mistico Sufi pratica l'ascesa graduale dell'anima fino al trionfo sopra le passioni e al colloquio estatico con Dio. L'ostilità di teologi ortodossi e liberali ha portato a persecuzioni e processi come nel caso del mistico Hallag impiccato nel 922 il quale declamava versi di rara bellezza ma che suonavano eretici:

> Il Signore vidi io con l'occhio del cuore
> io chiesi «chi sei tu?»
> egli disse «Tu...»
> O essenza dell'essenza della mia esistenza...
> o tutto del mio tutto!

Nel IV secolo d.C. la filosofia ellenizzante introdotta da Avicenna fornisce una spiegazione «razionale» dell'unione estatica con Dio e al-Gazhali (morto nel 1111) riconcilia la mistica con la ortodossia della Sunna. Dal VII secolo si impone la sovranità della scuola monistica il cui maestro fu Ibn al-Arabi morto nel 1440 nel cui pensiero Dio si manifesta come il senso delle cose create che nella loro sostanza segreta sono identiche a Dio. Il pensiero dei mistici sufi si amplia e si complica nei secoli: Ibn al-Arabi, come il suo scolaro Ghili, non insistono sulla fusione dell'anima in Dio che rimane il Signore, mentre il mistico resta «servo eterno» nonostante l'esperienza estatica della identità dei due. Nella poesia persiana le idee dei sufi vennero esaltate da Dim Rumi (morto nel 1231). Alcuni seguaci particolari del sufismo sono noti come dervisci: si tratta di membri di confraternite religiose di monaci mendicanti diffusi nel mondo islamico a partire dal 1100 d.C. La loro ortodossia in fatto di fede è rivendicata dalla discendenza leggendaria dei fondatori dal profeta Maometto (e con ciò è giustificata anche l'introduzione di riti extraislamici al fine di ottenere lo stato dell'estasi). Il novizio è introdotto nella confraternita dal maestro spirituale il quale gode di una venerazione illimitata ed è considerato ricco di doni carismatici. L'ammissione del novizio avviene con una sorta di giuramento di fedeltà e con l'acquisizione di un abito speciale. L'elemento principale dei riti è costituito dall'esercizio del *dikr*, cioè dalla lode di Dio, per mezzo di formule ripetitive accompagnate da respirazioni e movimenti del corpo particolari che producono una elevata eccitazione nervosa e un rapimento trasognato. L'elemento caratteristico e noto anche in Occidente è la «danza rotatoria» dei dervisci ritmata al suono dei tamburi e dei flauti che può riprodurre effetti ipnotici. Queste tecniche possono determinare l'insensibilità corporea che viene manifestata con il camminare sui carboni accesi, forarsi con aghi e coltelli, farsi ricoprire da serpenti e scorpioni. Talvolta si tratta di trucchi da prestigiatore, ma sicuramente lo stato estatico prodotto dalle danze dei dervisci è innegabile. Chi scrive ha potuto sperimentare gli effetti sia della danza rotatoria sia dell'esercizio del dikr, cioè la lode di Dio con parole ripetute e movimenti del corpo particolari.

Malgrado il fenomeno dei dervisci sia considerato dagli specialisti in completo regresso, notiamo che numerosi gruppi e centri si sono aperti in Occidente e si ispirano a questo insieme di regole e di pratiche. Uno di essi fa capo al Centro studi metafisici René Guenon. Costui fu un coltissimo studioso di esoterismo e un sincero ricercatore delle vie dello spirito che si convertì all'Islam nel 1930 per poi recarsi in Egitto dove passò il resto della sua vita. Guenon polemizzò con tutti i cosiddetti gruppi occultistici ed esoterici del suo tempo dalla Società teosofica alle varie logge neospiritualistiche e pseudorosacrociane. Il suo scetticismo lo portava a sostenere che solo in Oriente sopravvivevano tradizioni esoteriche autentiche.

In Italia il sufismo è presente con vari gruppi come quello di Sheik Ibraim o quello che fa capo a Meer Baba. Si tratta di cerchie riservate e di difficile accesso. In senso generale, possiamo dire che la via del sufismo si presenta con una sorta di viaggio interiore in cui l'adepto deve risvegliare in sé i «profeti interiori» che vivono in ogni essere, e il cui contatto costituisce una serie di tappe del risveglio spirituale: tale processo è stato evocato con la simbologia delle luci di diverso colore. Queste procedure segrete dovrebbero comportare la possibilità di evadere dal mondo dei fenomeni e di ascendere al piano della coscienza angelica fino a

una progressiva identificazione con il regno dei nomi divini o secondo un'immagine affascinante con lo stadio dei *cherubini*, fino
a confondersi con un tuffo finale nell'Assoluto.

Altro gruppo islamico a sfondo esoterico è costituito dai *Fedeli della Verità* che sono circa duemila in Italia e hanno la loro
sede in una casa nobiliare romana. Il fondatore di questa setta è
Nur Alì Elahi, un maestro curdo dell'Iran che ha mantenuto viva
una via spirituale che ingloba tutti gli elementi della mistica mu-
sulmana, quindi sfiora il sufismo senza identificarsi con esso.
Tale tradizione nasce dal contesto dell'Islam sciita che si originò
quando, dopo la morte di Maometto, i seguaci della gnosi musul-
mana si riunirono intorno all'imam Alì Elahi. Le dottrine del
gruppo sono esposte nel testo *L'esoterismo kurdo*[13]. Dopo la caduta di Adamo (il primo profeta) nel corso dei secoli gli uomini
hanno beneficiato della guida di alcuni inviati di Dio: nella tradizione semitica tali inviati furono i profeti dell'Antico Testamento, Gesù il Cristo e infine Maometto. In altre tradizioni essi hanno portato altri nomi e molti tra loro sono stati dimenticati.

Alcuni non sono nemmeno conosciuti, ma sono stati pur sempre degli iniziati: i *Vali*, i Santi amati da Dio e incaricati di una
missione spirituale. I mistici musulmani sanno che essi sono gli
intermediari indispensabili tra Dio e l'uomo, i custodi della verità esoterica. Tali uomini, i Vali, formano una Chiesa spirituale,
un ordine che talvolta si adegua a un ordine temporale, ma che
ignora ogni limitazione storica, spaziale e confessionale.

Dal primo imam fino all'ultimo, il *Mehdi*, la Perfezione Assoluta si è manifestata in ciascuno dei dodici imam che, nel corso
dei secoli, insegnarono segretamente l'essenza della fede e della
Conoscenza, mentre all'esterno gli adepti dei dogmi ufficiali ela-
boravano la brillante civiltà islamica.

In certi ordini molto riservati, i sufi perpetuarono le tradizioni
esoteriche valorizzando alcuni maestri, i Vali, che via via si ma-
nifestarono. Uno di essi fu Soltan Eshaq, che fondò la setta dei
«Ferventi di Dio» nel XIV secolo. La setta si diffuse in molte pro-
vince del Kurdistan ma, con il passare del tempo, parte delle dottrine andarono perdute o furono fraintese. Nur Alì Elahi ha purificato la via dei Fedeli della Verità dalle aggiunte, dai falsi riti e
dalle deviazioni accumulate dagli adepti nel corso dei tempi.

---

[13] Nur Alì-Shah Elahi, *L'esoterisme kurde*, Paris, Albin Michel, 1966.

Il maestro Nur Alì Elahi è stato il penultimo di tali maestri segreti: oggi suo figlio Sha Bahram Elahi è il capo della setta. Nato a Jeyhoonabad, un villaggio dell'Iran occidentale, il 24 agosto del 1931, ha studiato medicina in Francia, si è laureato, specializzato come medico-chirurgo e solo nel 1963 è tornato in patria ed è diventato discepolo di suo padre; attualmente è professore alla facoltà di Medicina dell'Università di Teheran e dedica il suo tempo a guidare i discepoli. Si deve a lui un testo che sintetizza le idee di suo padre e i fondamenti della Via del Perfezionamento, alcuni dei quali di alta levatura spirituale[14].

Al termine di un periodo di apprendistato tecnico-pratico (di circa un anno) l'adepto è pronto per il *Salsepurdam*, un rituale di abiura della religione di origine e di conversione all'Islam e alle leggi comportamentali coraniche.

Secondo gli scritti di Nur Alì, la «religione della verità», cioè il cuore dell'insegnamento della setta, è l'ultima meta del cammino spirituale: è l'unione segreta con Dio. Tale unione si esprime in immagini di rara bellezza come il ritorno allo stato originario in cui esistevano solo il silenzio, l'acqua e la Perla, dimora segreta del Dio segreto.

---

[14] Sha Bahram Elahi, *La via della perfezione*, Roma, Astrolabio, 1981.

III. Sette di matrice cristiana

L'Italia, feudo incontrastato del cattolicesimo fino alla seconda guerra mondiale, ha visto progressivamente affermarsi un nuovo panorama religioso in cui le sette di matrice cristiana extracattolica occupano un posto considerevole[1].

Prendiamo ad esempio la Società della Torre di Guardia (meglio nota come setta dei *Testimoni di Geova*) che è presente oggi in Italia con più di duecentomila tra seguaci e simpatizzanti. La setta fu fondata da C.T. Russel nato nel 1862 in Pennsylvania, che si fece le ossa all'interno di vari gruppi avventisti. Nel 1879 abbandonò gli avventisti e pubblicò il primo numero della sua rivista *La Torre di Guardia*. Con la moglie e cinque soci fondò la Società nella quale cominciò a divulgare le sue teorie religiose. Nel 1886 stampò il suo primo libro: *Studi sulle Scritture* di cui vendette 5 milioni di copie. Subì vari processi ma ne uscì in maniera sempre abbastanza pulita. Alla sua morte (nel 1916) fu sostituito da J. F. Rutheford. Costui rimaneggiò in parte l'opera di Russel, sviluppò una forte avversione contro le Chiese cristiane e in particolare contro la Chiesa cattolica. Fondò la rivista che prima si chiamò *L'Età dell'Oro* e poi, come oggi, *Svegliatevi*, in cui annunciava il crollo della cristianità (nell'anno 1918). Prevedeva la resurrezione dei principi dell'Antico Testamento per i quali anzi fece costruire una grandiosa residenza in California (che divenne poi casa sua). Abolì varie feste tradizionali come Halloween, il Natale e chiamò i suoi adepti: Testimoni di Geova. Profetizzò la fine del mondo per il 1941. Alla sua morte divenne presidente della setta Knorr che dette l'avvio alla traduzione delle Sacre Scritture, proibì le trasfusioni di sangue e fissò per l'autunno del 1975 la fine del presente stato di cose e l'inizio del millennio. Knorr morì nel 1977 e gli successe l'attuale presidente F. W. Franz. La dottri-

---

[1] Cfr. Introvigne M., *Le sette cristiane*, Milano, Mondadori, 1989.

na dei Testimoni di Geova è assai complessa: uno dei punti focali di essa è il concetto di rivelazione progressiva secondo cui Dio (chiamato Geova) rivela nel tempo la propria volontà al genere umano secondo modalità da lui stesso decise. I Testimoni devono adeguarsi a queste continue rivelazioni correggendo le proprie idee nei tempi dovuti. Geova è una divinità dotata di un corpo spirituale con cervello, vista e udito, costituita da una particolare essenza chiamata «energia dinamica». Abita in un luogo preciso ma non conosciuto (mentre secondo Rutheford abitava nella costellazione delle Pleiadi). Lo Spirito Santo è una forza attiva impersonale che può essere proiettata da Geova ovunque. Per quanto riguarda la personalità di Gesù Cristo, i Testimoni di Geova ritengono che si tratti della creatura più eccelsa di Dio tanto da essere chiamato Figlio ma è spesso anche identificato con l'arcangelo Michele. Il compito terreno di Gesù Cristo è stato quello di cedere la propria vita per riscattare ciò che Adamo aveva perduto e liberare così gli umani dal peccato e dalla morte. Gesù fu inchiodato a un palo e non a una croce e deposto nella tomba. Resuscitato da Dio con un corpo spirituale, Gesù, cacciati dal cielo Satana e gli angeli ribelli, regna invisibilmente sul cosmo. I consacrati destinati alla vita eterna sono 140.000 soltanto, quelli ancora in vita sono 8869 persone. Non deve sorprendere questo ricorso continuo a una sorta di ragioneria dello spirito: è un tratto peculiare dei Testimoni di Geova. Tutto il gruppo è fortemente intriso di millenarismo che prevede insieme la fine del mondo e l'instaurazione di un regno messianico di mille anni. La fine del mondo, che è imminente, culminerà nella famosa battaglia di Armagheddon nella quale saranno distrutti tutti coloro che non hanno aderito alla setta. Dopo tale battaglia (citata in realtà nell'Apocalisse di Giovanni) i sopravvissuti vivranno per mille anni sulla Terra trasformata in un vero e proprio Paradiso terrestre. Durante questo millennio Geova darà un nuovo corpo fisico anche ai giusti che sono morti prima della battaglia di Armagheddon e rivestirà di carne anche gli ingiusti, cioè coloro che non hanno voluto diventare Testimoni di Geova. Questa nuova creazione del corpo avverrà perché alla fine della vita non muore soltanto la spoglia fisica ma anche l'anima. Infatti alla fine di questo regno millenario le persone saranno giudicate per come si sono comportate durante questo periodo. Finito il millennio Satana sarà lasciato libero di tentare l'umanità ancora per un certo tem-

po prima di essere annientato definitivamente con tutti i malvagi
che l'avranno seguito. I fedeli Testimoni di Geova sopravvissuti
potranno finalmente vivere per sempre su una terra paradisiaca
ed essere chiamati figli di Dio.

Sono ormai presenti nel nostro Paese anche i Mormoni che si
definiscono «Chiesa di Gesù Cristo degli ultimi giorni».

Questo gruppo occupa nel panorama delle religioni a sfondo
cristiano un posto particolare per l'accresciuta consistenza numerica (15.000 in Italia già nel 1990).

Il fondatore fu Joseph Smith, nato nel 1905 a Sharon negli Stati Uniti. Suo padre che si dedicava alla ricerca di tesori perduti,
stimolò in lui l'interesse per la magia e il folklore esoterico. Nel
1820 Smith sostenne di aver avuto un'esperienza di contatto con
Dio Padre e Dio Figlio che gli comunicarono di averlo scelto per
restaurare la cristianità e ripristinare il sacerdozio di Aronne e di
Melchisedec. Il 22 settembre del 1827 Smith ricevette la prima
rivelazione dall'angelo Moroni che gli annunciò la presenza di
tavole d'oro scritte in geroglifici egizi da un profeta, tale Mormon, che narravano le migrazioni in America da parte di alcune
tribù del popolo ebraico e la missione di Gesù Cristo nel nuovo
continente dopo la sua crocefissione. Queste tavole furono tra-
dotte con l'aiuto di «occhiali miracolosi» e pubblicate nel 1830
con il titolo *Il libro di Mormon*. Fra il 1831 e il 1844 Smith ebbe
altre 135 visioni e rivelazioni private che lo indussero a tradurre
parti della Bibbia e dei frammenti di un *Libro dei morti* egiziano
che egli pubblicò col titolo *Libro di Abramo*. Nello stesso periodo elaborò anche le dottrine della sua Chiesa e introdusse tra i fedeli la poligamia. Malgrado i successi ottenuti e le schiere di seguaci, Joseph Smith e suo fratello Hyrum ebbero una sorte atro-
ce: furono linciati perché ritenuti colpevoli di aver distrutto la ti-
pografia di un giornale nemico della loro setta. La dottrina di
Smith considera Dio Padre un essere fisico, una volta uomo mor-
tale, ora persona glorificata. Gesù Cristo, primogenito del Padre
e della Madre celeste, creò il mondo dalla materia eterna per permettere alle intelligenze o spiriti del cielo (di cui i primi furono
Adamo ed Eva a volte considerati Dio stesso) di manifestarsi. Lo
Spirito Santo è puro spirito e abita nell'uomo dopo il battesimo e
dopo l'imposizione delle mani. Gli spiriti dei santi salgono in Paradiso, quelli degli altri uomini attendono in una sorta di prigione
da cui vengono liberati se accolgono la catechesi di missionari

celesti e se non rifiutano il battesimo richiesto per loro dai discendenti. Chi non accoglie tale opportunità è precipitato all'inferno. La seconda venuta di Cristo inaugurerà un millennio di pace nel quale le dieci tribù perdute di Israele e ora disperse nelle regioni polari saranno riunite in una località dell'America. Al termine del millennio tutti gli esseri umani risorgeranno: i malvagi per essere sommersi in un lago di zolfo e di fuoco, i meno malvagi saranno accolti in una gloria detta con uno strano neologismo «teleste», coloro che non avranno accolto pienamente il Vangelo saranno pronti per la gloria terrestre e i santi infine per la gloria celeste. Questi ultimi potranno diventare degli dèi, procreare figli spirituali e abitare un proprio pianeta, secondo teorie che sono condivise dalla New Age e dall'esoterismo contemporaneo.

I Mormoni hanno una serie di rituali come il battesimo per immersione da compiersi all'età di otto anni e il battesimo «per i morti» richiesto dai discendenti. L'eucarestia consiste in una cena a base di pane e acqua che commemora l'alleanza tra Dio e l'uomo. Essendo il sacerdozio potenzialità comune a tutti i battezzati, non esiste un vero e proprio clero professionale ma tutti possono ricoprire degli incarichi che sono quelli di diacono, insegnante, anziano e sommo sacerdote. L'organizzazione della Chiesa dei Mormoni prevede al vertice una prima presidenza formata dal presidente che è considerato sia veggente che profeta e da due consiglieri. Vi è poi il consiglio dei dodici apostoli il cui membro più anziano succede al presidente in caso di morte, il primo e il secondo quorum dei settanta e il vescovado presiedente i cui membri sono responsabili dell'amministrazione dei beni economici della chiesa. Esiste poi un'organizzazione periferica assai complessa che prevede un'unità molto piccola che è il rione guidato da un vescovo con due consiglieri: più rioni formano un «palo» retto da un presidente, due consiglieri e dodici alti preti.

Sia i Testimoni di Geova che i Mormoni hanno come sfondo teorico le dottrine avventiste, quelle cioè che attendono l'avvento o ritorno di Gesù Cristo.

In Italia sono presenti anche gli Avventisti del Settimo giorno. Come gli altri cristiani protestanti il gruppo degli Avventisti ritiene Gesù Cristo figlio di Dio quindi compartecipe della natura divina, crede nel peccato originale, nella redenzione e nella Bibbia come regola di fede, professa il battesimo per immersione, il rito della lavanda dei piedi, la festività del sabato e l'idea che l'immortalità dell'anima è condizionata e viene garantita soltanto ai giusti. Il nucleo di queste dottrine è condiviso da altri gruppi millenaristi e da molti gruppi protestanti: la specificità degli avventisti del Settimo giorno è racchiusa in alcune idee-guida. Una di queste è la «dottrina del santuario» per cui nel giorno tanto atteso del ritorno di Cristo (il 1844 era stato additato da numerosi gruppi avventisti come quello della manifestazione di Cristo e l'instaurazione di un regno millenario) si sarebbe verificato un importantissimo evento non sulla Terra, come ci si aspettava, ma in cielo. Gesù, che per diciotto secoli aveva esercitato per noi la sua funzione sacerdotale nella prima parte del santuario celeste sarebbe passato nella parte più sacra e santa dello stesso santuario per svolgervi una fase conclusiva, una fase espiatoria che avrebbe preparato degnamente il suo avvento. Quest'idea di un santuario celeste è desunta dall'interpretazione di alcuni passi dell'*Esodo* e dalla *Lettera agli Ebrei* di san Paolo oltre che dal bisogno di individuare sulla base delle Sacre Scritture quale potesse essere l'avvento centrale ma invisibile che secondo le credenze degli avventisti non può non essersi verificato nel fatidico anno 1844.

Trasferendo l'avvento di Cristo in una dimensione spirituale e identificandolo con un passaggio da una parte del santuario a un'altra, era possibile continuare ad attendere il secondo avvento e contemporaneamente non snaturare l'elemento base del movimento stesso. Il grande conflitto che avrebbe dovuto precedere l'avvento del Cristo sarebbe iniziato in cielo in una sorta di lotta cosmica fra Dio, il diavolo e gli angeli ribelli. Gli angeli ribelli si sarebbero precipitati sulla Terra dove Satana avrebbe continuato la sua opera ai danni degli uomini tentandoli perché si ribellassero a Dio. La missione di Cristo rappresenterebbe la riscossa di Dio nel conflitto iniziato all'origine del mondo. Gli Avventisti ritengono che la redenzione sia stata solo annunciata e che il Regno sia una realtà cosmico-politica privilegiando in tal modo gli effetti visibili della redenzione piuttosto che la natura intima di tale mistero. Si tratta di teorie che identificano il mistero della salvezza in un grande dramma cosmico che coinvolge gli angeli, i demoni e gli uomini e si richiama all'Apocalisse di san Giovanni. In tale visione il suggello di Dio che distingue i buoni dai malvagi è interpretato secondo gli Avventisti nell'osservanza del sabato come festività mentre il marchio della Bestia è quello della celebrazione della domenica. La Bestia che ha modificato il giorno festivo altri non è che la Chiesa di Roma e il pontificato. Alla fine dei tempi e prima del regno millenario del Cristo (venuto in gloria personale e visibile) gli eletti risorgeranno e insieme con i viventi saliranno al cielo dove partecipano al giudizio dei malvagi. La terra sarà deserta e desolata e i malvagi saranno uccisi, Satana sarà incatenato circondato dai corpi dei malvagi. Alla fine del regno millenario la Gerusalemme celeste discenderà sulla Terra, i malvagi risorgeranno ancora una volta per udire la sentenza che li condanna alla distruzione insieme con Satana e gli angeli ribelli, mentre i buoni vivranno sulla Terra ritornata una sorta di Paradiso terrestre.

Simile a tale gruppo è la Chiesa di Dio Universale, presente in Italia con una rivista a larga diffusione intitolata *La pura verità* e con un programma televisivo, *Il mondo di domani*, programmato su Rete 4. Il fondatore H. W. Armstrong militò nelle chiese avventiste per poi fondare nel febbraio del 1934 il mensile *La pura verità* e aprire in California il primo Collegio di Ambasciatori, vero e proprio seminario della Chiesa che non fu mai però riconosciuto dal governo americano. Successivamente Armstrong propose conferenze e viaggi in tutto il mondo, visitò i paesi in via di sviluppo assicurando aiuti e promozioni economiche. Si dette da fare anche con ricerche archeologiche soprattutto in Israele e intorno al secondo tempio di Gerusalemme. La Chiesa subì numerosi scismi e numerose defezioni soprattutto perché alcuni seguaci accusarono Armstrong di autoritarismo. Il profeta morì nel 1986 dopo aver affidato la guida della Chiesa a G. W. Tkach. Una delle caratteristiche più rilevanti di questo gruppo è la forte influenza dell'anglo-israelismo, sistema teologico dell'inglese Richard Brothers (morto nel 1824) condiviso oggi da oltre tre milioni di persone appartenenti a gruppi religiosi diversi. Secondo l'anglo-israelismo, inglesi e americani sarebbero gli eredi delle tribù perdute di Israele: la parola *british* deriverebbe da *berit*, «alleanza», più *ish* che in ebraico vuol dire «uomo». La parola *saxons* deriverebbe da *Isaac's son*, cioè «figlio di Isacco». Gran Bretagna e Stati Uniti sarebbero rispettivamente derivate dalla tribù di Efraim e da quella di Manasse. Gli eredi della promessa di Giacobbe sono i re d'Inghilterra discendenti dalla stirpe di David. Il trono su cui vengono incoronati, la cosiddetta «pietra di Scone» conservata nell'abbazia di Westminster, altro non sarebbe che la pietra usata da Giacobbe prima come cuscino e poi come stele votiva innalzata a Betel. Armstrong si considerò quindi un profeta, primo e unico messaggero di verità dai tempi degli apostoli e sostenne di aver ricevuto da Gesù Cristo l'ordine di avvertire il mondo della catastrofe finale. La Chiesa di Armstrong non è che l'ecclesia dell'Apocalisse dispersa per 1260 anni ed ora nuovamente riunita, mentre la Chiesa cattolica e le 500 sette nate dalla Riforma protestante sono da considerarsi come la grande meretrice di Babilonia. Secondo Armstrong esistono due divinità: uno è Elohim padrone del cielo e della Terra e padre di Gesù Cristo, l'altro è il Dio di Abramo, di Isacco e di Giacobbe chiamato Jahvé, Dio creatore che poi diventerà Gesù Cristo. Lo Spirito Santo non è una persona ma una forza impersonale che promana da Dio e arriva all'uomo attraverso la mediazione di Gesù Cristo. Gli uomini salvati diventeranno divinità essi stessi. Gesù si è fatto completamente di carne ed è diventato identico all'uomo anche nel peccato e nella possibilità di peccare. Primo e unico uomo a essere salvato, Gesù Cristo è stato aiutato dallo Spirito Santo a evitare il male dimostrando che la legge di Dio può essere osservata. Ciò che salva l'uomo non è la fede ma l'osservanza scrupolosa della legge. L'elemento millenaristico è assai forte nella predicazione di Armstrong. Sia detto per inciso, il giornale *La pura verità*, che viene distribuito gratuitamente anche in Italia, non mostra chiaramente questi temi teologico-religiosi. Si occupa piuttosto di commenti sull'attualità anche se viene citata espressamente la possibilità di prendere contatto con i funzionari e gli adepti di Armstrong. Il messaggio apocalittico si risolve in questi temi: i buoni risorgeranno e i cattivi saranno annientati, quindi avrà inizio il regno dei mille anni al termine del quale risorgeranno coloro che non hanno conosciuto o non hanno accolto il Vangelo e che potranno scegliere tra la salvezza o la morte definitiva. Risorgeranno anche i malvagi per essere annientati definitivamente con Satana in un lago di fuoco e di zolfo. I santi vivranno in un mondo perfetto che è governato dai patriarchi Abramo, Mosè, Elia, Davide e Gesù con gli apostoli. I seguaci di Armstrong osservano come festa non la domenica ma il sabato e seguono con zelo tutte le feste ebraiche.

Una delle più recenti sette a sfondo cristiano è quella dei Bambini di Dio, oggi chiamata *The Family*.

Si tratta di un movimento religioso di matrice evangelica fondato nel 1969 in California dal pastore David Berg. Inizialmente noti come Bambini di Dio, i suoi adepti hanno assunto una nuova denominazione, quella di «Famiglia dell'Amore» che ha la sua sede principale in Canada, a Montreal. Si sa che alla fine degli anni '70 i Bambini di Dio avevano sedi in più di settanta paesi compresi Stati dell'Estremo Oriente come Thailandia e Singapore. Vi erano colonie che raccoglievano cinquemila fedeli e di queste colonie ne risultavano almeno quattromila. I portavoce del movimento stesso affermavano di aver convertito 250.000 persone ma la cifra non è stata mai confermata. Oggi si parla di diecimila fedeli che non vivono più in comunità e quindi non rinunciano al proprio lavoro. La Famiglia dell'Amore o Bambini di Dio è presente in Italia e ha la sede principale a Roma. Il fondatore David Berg nacque nel 1919 in California da una famiglia di pastori evangelici. Durante il movimento della cultura underground californiano riscosse notevole successo tra i giovani che egli chiamò «gregge senza pastore». Nel 1965, il profeta Geremia gli preannunciò l'imminente fine del mondo. Negli anni successivi diffuse il suo verbo tra i tossicodipendenti e tra i gruppi alternativi. Nel 1969 Berg ebbe un'altra rivelazione circa un cataclisma che avrebbe distrutto la California. Berg, raccolti centocinquanta seguaci e assunto il nome di Mosè, compì un lungo pellegrinaggio attraverso i deserti degli Stati Uniti per poi fissare la sua residenza in un ranch del Texas. Nel 1971 i suoi seguaci erano già cinquecento e in quel periodo Berg divorziò dalla prima moglie evidenziata come la «sposa-chiesa vecchia» e si sposò con una tale Maria identificata nella «nuova chiesa». Il profeta si ritirò in un luogo segreto e continuò a dirigere il movimento attraverso i suoi scritti che da allora vengono chiamati «Le lettere di Mo» (abbreviazione del termine Mosè). Il punto nodale della dottrina consiste nel riconoscere Berg come profeta di Dio e la sua parola come rivelazioni divine. Del cristianesimo ortodosso Berg salva ben poco: non esiste la Trinità, sostiene che Gesù è semplicemente una creatura di Dio e che ebbe rapporti sessuali con tutte le donne del suo seguito. La sua «chiesa» si colloca nel filone avventista perché insiste sul concetto della fine dei tempi dovuta tra l'altro alla corruzione del mondo occidentale. L'Anticristo si sarebbe manifestato quando il comunismo avesse schiacciato il capitalismo. Anche se i dati storici hanno smentito questa possibilità, i seguaci di Berg affermano che sta per avvenire la battaglia di Armagheddon; poi si scatenerà la «grande tribolazio-

ne» per coloro che saranno fedeli al Cristo e non vorranno seguire Satana. Nel 1993 doveva avvenire il «rapimento» dei santi che
dovevano essere sottratti alla rovina del mondo per poi regnare
con Gesù. Il movimento si caratterizza con un intenso proselitismo che assume aspetti e caratteristiche molto particolari. La Famiglia dell'Amore ha adottato la tecnica chiamata *flirty-fishing*,
termine che si può tradurre come «pesca d'amore» o «pesca vo-
luttuosa». Soprattutto le giovani seguaci di Mosè David sono
considerate esche per Gesù e vengono invitate esplicitamente ad
avere comportamenti provocanti per attirare nel movimento nuovi seguaci. È consigliato alle ragazze di bruciare il reggiseno e
indossare camicette trasparenti affinché i potenziali seguaci si in-
namorino di loro. Berg ha tentato di dare un fondamento ideolo-
gico a questo messaggio: le relazioni sessuali sarebbero un metodo estremo per testimoniare l'amore di Dio. In un'epoca di grande sensualità come la nostra molti non crederebbero di essere veramente amati se non trovassero persone disposte a soddisfare i
loro desideri sessuali. Chi aderisce al movimento cambia il nome
che aveva nel sistema e ne assume uno biblico. Il gruppo presenta tre gradi di iniziazione: coloro che hanno militato per meno di
sei mesi vengono chiamati «adulti-bambini», nei seguenti sei
mesi si è «adulti-discepoli». Chi supera queste due fasi può diventare «adulto-aspirante al comando» e assumere cariche diret-
tive. Fondamentale è la pratica del «dare testimonianza» che
consiste nell'avvicinare la gente per strada e distribuire i testi di
Berg-Mosè in cambio di un'offerta. Chi riesce a distribuire almeno settecento di queste lettere viene chiamato *shiner* luminoso,
chi resta sotto tale quota è considerato invece *shamer* vergogno-
so. In questi ultimissimi tempi The Family ha iniziato un *mailing*
inviando lettere di propaganda in cui da un verso si esprimono
elementi-dottrinali e dall'altro ci si difende dalle accuse. Eccone
un esempio.

> Crediamo che il sesso se praticato secondo le intenzioni e proponimenti di
> Dio è una funzione fisiologica pura: una meraviglia necessaria e stupenda della
> creazione di Dio, tuttora naturale e incorrotta come Dio la creò e intese original-
> mente. Tuttavia come conseguenza del peccato, l'uomo spesso vede il sesso
> come un male. Crediamo che mediante Cristo e il suo sacrificio espiatorio pos-
> siamo trovare purezza di cuore e di atteggiamento non solo nei riguardi del cor-
> po e delle sue funzioni naturali ma in molti altri aspetti della vita.

Nelle lettere inviate a potenziali seguaci si rigettano le accuse di razzismo e di antisemitismo, le infamanti accuse sull'abuso di minori e si rifiuta recisamente di aver mai effettuato lavaggio del cervello o plagio mentale agli adepti. Si proclama con molta forza il fatto che: «il mondo si trova ora nell'era che la Bibbia definisce il "tempo della fine" e che presto sorgerà un nuovo ordine mondiale malvagio e contrario a Dio guidato da un dittatore crudele, l'incarnazione del diavolo che le scritture chiamano Anticristo. Denunciamo inoltre la cospirazione in corso per perpetrare questo orrore. Per questi motivi siamo stati perseguitati spesso da rappresentanti ostili e legati all'Anticristo che operano nei mezzi di comunicazione di massa».

Ultimamente nel marzo 1993 il gruppo The Family ha anche diffuso una lettera in cui prende le distanze in maniera molto precisa dai tragici avvenimenti di Waco in Texas dove la polizia fece irruzione in un ranch di una setta guidata da un profeta chiamato anch'esso David.

Tra le sette di matrice cristiana non va dimenticata quella del reverendo Moon detta *Chiesa dell'Unificazione* dalla storia assai controversa e dalle molteplici cause giudiziarie che in Italia non ha più di 1000 seguaci[2].

Altra vicenda è quella di *Scienza cristiana* fondata da Mary M. Baker Eddy nel 1875 e considerata da molti come un sistema di guarigione basato sul trionfo spirituale della verità.

Anche *Vita universale*, una setta sorta recentemente, si configura come terapeutica e soteriologica. La fondatrice Gabriel Wittek chiamò dapprima il suo gruppo «Opera del Rimpatrio di Gesù Cristo» e affermò di aver avuto rivelazioni originali da Fratello Emanuele, un Cherubino eccelso. Dal 1974 il movimento si è rapidamente diffuso dalla Germania in varie regioni d'Europa (Italia compresa) e presenta una sintesi originale di elementi orientali (come la fede nella reincarnazione), di forme di nuovo magismo alla New Age e di temi di origine cristiana.

---

[2] Cfr. Introvigne M., «Il reverendo Moon e il Movimento dell'Unificazione», in *Le sette cristiane*, cit., pp. 122 e ss.

IV. Le psico-sette

Si tratta di un vasto gruppo di movimenti che si rifanno al co-siddetto incremento del *potenziale umano*, ovvero dello sviluppo personale. È una congerie di aggregazioni o di singoli operatori che sviluppano idee e posizioni teoriche variamente articolate e spesso assai differenti. La frammentarietà e la eterogeneità di questi gruppi porta a definire piuttosto che la loro struttura la loro «mentalità», che consiste in un nuovo modo di intendere e di pensare l'essere umano, il cosmo, i rapporti interpersonali, la salute e la malattia. Inoltre sulle teorie dei cosiddetti gruppi di potenziale umano si è sovrapposta la nuova ideologia della New Age. Tali gruppi o psico-sette si presentano sotto forme diverse: centri di psicoterapie, associazioni culturali, gruppi orientalisti che volgarizzano tecniche yoga e addirittura scuole per manager che erano già attive negli Stati Uniti fin dagli anni '60. Se si vogliono esaminare le varie strutture di questi gruppi salta agli occhi uno strano dosaggio di elementi di training autogeno, yoga, Zen, varie forme di psicoterapia, nuovi dettami di dietologia o di alimentazione integrata, forme di ginnastica o di concentrazione, meditazione, medicina tradizionale e non ufficiale...[1].

Le psico-sette si fanno propaganda offrendo dei corsi (tutti a pagamento) che vengono proposti o per potenziare le proprie capacità oppure per risolvere i propri problemi di malessere. Si tratta come si è detto di una congerie di tecniche e di idee che intervengono su vari piani dell'essere[2]. Su un *piano fisico* si propaganda una maggiore efficienza corporea basata su tecniche che vengono affiancate da un nuovo regime alimentare. Sul *piano emozionale* si fa appello a un miglioramento nella sfera della so-

---

[1] Westley F., *The Complex Form of religious Life*, Chico CA Scholars, 1983.
[2] Vedi Antonello M., «Le psico-sette», in *Sette e religioni*, n. 7, luglio-settembre 1992, p. 368 e ss.

cialità, un aumento della comunicazione interpersonale, maggiori capacità di ascolto dell'altro, empatia spesso di tipo emotivo-sessuale. Sul *piano mentale* si assicura un grandioso sviluppo della memoria e delle capacità di concentrazione, un aumento del quoziente di intelligenza, un controllo del pensiero che, se negativo, è ritenuto origine e causa di tutte le malattie psicosomatiche. Si afferma anche di insegnare a privilegiare la mente intuitiva e creativa piuttosto della razionalità. Sul *piano spirituale* si assicura uno sviluppo e un ampliamento della propria coscienza, una autorealizzazione e consapevolezza profonda per cui l'adepto viene stimolato a compiere esperienze particolari quali i famosi viaggi astrali già propagandati dalla teosofia, il *channelling* o altre esperienze paranormali. Spiccata è quindi in questi gruppi la «dimensione magica», che si appoggia a uno sfondo esoterico con meccanismi di trasmissione attraverso precisi corsi di iniziazione in cui l'adepto viene a conoscenza di verità segrete. Esiste infatti la proibizione di parlare di ciò che avviene in questi corsi così come era presente l'antico divieto di divulgare le segrete cose dei misteri Eleusini. L'obiettivo reclamizzato da questi gruppi è visto come affrancamento dell'individuo dai condizionamenti socio-culturali, dalle paure, dalle esperienze negative. Sommessamente viene anche insinuata la speranza di raggiungere potenzialità più particolari come la chiaroveggenza, la trasmissione e la lettura del pensiero, la preveggenza e lo sviluppo di capacità miracolose. Nelle psico-sette il contributo della psicologia umanistica o dell'autorealizzazione è determinante. Per psicologia umanistica si intende non tanto una particolare scuola quanto una mentalità o un «modo di sentire» nei riguardi dell'essere umano. Pur nella differenza delle posizioni teoriche e delle ideologie, si può ritrovare nella psicologia umanistica un tema comune: l'accento posto sulla positività della natura umana e l'importanza data a grandi mete che sono riservate a chi sviluppa il proprio potenziale. All'interno di questo tema comune si possono comunque distinguere due versioni: la prima riguarda l'attualizzazione cioè la tendenza a esprimere sempre meglio le capacità e le potenzialità che l'individuo già possiede e che la frustrante società occidentale ha messo fra parentesi. L'altra versione è quella della perfezione in cui l'accento è posto sulla tendenza a lottare e a combattere per realizzare ciò che può rendere la vita armonica, eccellente, completa. È chiaro che le due tendenze spesso si incrociano e si fondono. Resta il fatto che la psicologia umanistica identifica nel proprio Sé il fulcro di ogni devozione e di ogni culto. Le esperienze personali e l'interiorità sono il valore sommo e l'oggetto di tutte le proprie attenzioni. I metodi delle tecniche più reclamizzati fanno ricorso a varie forme in cui campeggia lo psico-dramma, il training autogeno, il rilassamento, oltre a tecniche yoga di meditazione e di concentrazione completamente avulse però dalle tematiche filosofiche e teologiche che in ambito religioso le sostanziavano. Il principio fondamentale più o meno identificabile in tutte le psico-sette è quello che propone di intervenire sull'anima, (o sullo spirito o sulla mente) per guarire il corpo. Molti movimenti nati come forme religiose si stanno oggi orientando verso la terapia o la cura dell'anima. Le modalità di queste terapie sono altrettanto stupefacenti. Basta scorrere il programma del gruppo degli Arancioni legati a Osho Rajneesh. Vengono proposti gruppi di bioenergetica in cui «respiro ed espressione corporea ci forniscono mezzi efficaci per liberare il corpo e sciogliere le tensioni in un vivido flusso di energia che ridà al corpo la sua naturale grazia e bellezza». Oppure gruppi di *Gestalt* (espressione e consapevolezza) nei quali «si può capire il mondo in una disciplina di autosviluppo che ci insegna ad assumere la responsabilità della nostra esistenza».

«Attraverso l'esperienza emozionale-corporea di questo contatto col prossimo possiamo rivivere i nostri comportamenti spesso ripetitivi e inadeguati per ritrovare fantasia e stimoli per soluzioni creative e soddisfacenti.» Ma non basta. Esistono corsi di riflessologia plantare nei quali si stimolano le aree di riflesso nella pianta dei piedi, connesse ciascuno con un organo, una ghiandola, e una certa parte del corpo; si tratta di identificare le possibilità terapeutiche e le tecniche per stimolare tutte le aree del corpo. Così si possono impostare diagnosi ed eseguire trattamenti specifici. C'è poi il gruppo di lavoro sull'ipnosi (che attraverso il rilassamento fa esplorare spazi interiori nuovi), corsi di massaggio cranio-sacrale, gruppi di sciamanesimo, esperienze di rinascita (cioè della vita prenatale e del parto). Pur nella diversità ed estrema varietà delle tecniche e delle impostazioni, le psicosette o quelle forme che a esse si richiamano usano per il proselitismo due forze fondamentali: la prima consiste nel far prendere coscienza al neofita che *gli manca qualcosa*: per esempio la padronanza di doti o di qualità esistenti ma nascoste che devono essere valorizzate, oppure l'equilibrio, oppure l'armonia, oppure un buon rapporto con gli altri. La seconda leva consiste nel sottolineare le limitazioni e i *condizionamenti* che la società ha pesantemente imposto al soggetto il quale ora risulta incapace di essere se stesso. Quando l'ignaro adepto entra in uno di questi gruppi (vuoi che sia una tecnica sufi volta a prendere contatto con la divinità che è in noi, vuoi che sia un corso di controllo della mente o di autorealizzazione) viene sconvolto da una tempesta emozionale provocata dall'uso di tecniche molto particolari che allentano le difese del soggetto mediante esercizi di vario genere e che vanno dalla danza che dura ore e ore fino alla respirazione programmata, tecniche di rilassamento profondo o di posizioni yoga. Particolare e interessante è l'esperienza *est* inventata da Werner Erhard che propone benefici strabilianti e procede con forti manipolazioni emotive[3].

Nella prassi attiva di tali corsi, incontri e iniziazioni (che ho conosciuto di prima mano attraverso la tecnica della osservazione partecipante) si crea inevitabilmente un rapporto di dominanza-sottomissione tra i vari aspiranti al corso e gli istruttori. La legittimazione dei direttori o istruttori di questi vari gruppi è determinata da una mitica «professionalità» che si appoggia a un senso molto particolare di scientificità. Prendiamo come esempio il personaggio Maha Yoga Sudha che dirige un processo intensivo chiamato *Primal*. Tale processo ci aiuta «a riconoscere i nostri condizionamenti profondi e a non identificarci più con essi. Per sopravvivere in un mondo che non dà spazio né all'amore né all'autenticità fin da bambini impariamo a sviluppare negatività e diffidenza». Le tecniche proposte e gli stratagemmi per «risvegliare il rispetto di noi stessi e del nostro lavoro, per ritrovare quella fiducia che abbiamo perso a causa dei condizionamenti infantili» sono tutti esposti nel corso. Il corso si svolgerà in silenzio e in isolamento. L'organizzatrice è così legittimata: «Maha Yoga Sudha ha svolto un ruolo preminente nel movimento del potenziale umano per oltre 18 anni; si è formata in bioenergetica e sul lavoro sul corpo neo-reichiano ha lavorato sul Sé. È specialista in respiro, lavoro sul corpo, tecniche di regressione, arte della medita-

[3] Vedi Garvei K., «La mia esperienza *est*», in *Sette e religioni*, n. 8, ottobre-dicembre 1992, pp. 490-514.

zione». Vedremo ora in maniera più dettagliata alcune di queste psico-sette.

Prendiamo ad esempio il *Silva Mind Control*. Si tratta di gruppi che attuano tecniche inventate da José Silva, nato nel Texas nel 1914, elettrotecnico autodidatta che nella sua giovinezza aveva esteso i suoi interessi alla psicologia e all'ipnosi. Aveva letto Freud, Jung e Adler in testi divulgativi, ma ciò che lo colpì definitivamente fu una corrente psicologica che tentava di studiare il funzionamento del cervello a partire da omologie con l'elettromagnetismo mettendo in connessione i vari stati della mente con la frequenza di onde cerebrali misurabili in laboratorio. Silva in questo ambito identificò la possibilità di accedere attraverso l'ipnosi e l'autoipnosi a stati mentali caratterizzati da frequenze cerebrali diverse da quelle ordinarie di veglia chiamate «onde Beta», senza però perdere la lucidità e l'-efficienza del pensiero. Accedere a queste frequenze profonde, chiamate «onde Alfa», permette di migliorare le potenzialità del cervello e di espandere in tale stato quelle facoltà mentali sopite che a loro volta permettono di raggiungere fenomeni di tipo extrasensoriale. Il successo scolastico strabiliante dei figli di Silva avrebbe dato pubblicità al metodo, che dal 1966 si diffuse rapidamente in tutti gli Stati Uniti. Coloro che frequentavano i corsi di Silva Mind Control venivano ben presto a conoscenza della possibilità di attivare capacità paranormali come la lettura del pensiero altrui e attività taumaturgiche capaci di curare disturbi anche organici in virtù del controllo mentale. Proseguendo nel corso si poteva anche apprendere a entrare in contatto con spiriti consiglieri o spiriti-guida che aiutano l'apprendista a prendere coscienza dei poteri latenti della propria mente. Queste entità non escono dal piano mentale ed elettromagnetico e scaturiscono spesso dalla stessa psiche del soggetto. Punto focale di tutta la prassi è l'affermazione dei poteri indefinitamente espansibili della mente umana. Il metodo Silva Mind Control arrivò in Italia nel 1976 ed entrò a far parte del bagaglio ormai consolidato di tutte le forme di medicina alternativa o di gruppi che sviluppano le capacità extrasensoriali ovvero del potenziale umano.

In Italia tal Carolina Zalce, messicana, ha aperto un centro denominato *Evo Cris* in cui mette in atto tecniche e modalità psicologiche assai vicine a quelle del Silva[4].

---

[4] Cfr. Gatto Trocchi C., *Viaggio nella magia*, Roma-Bari, Laterza, 1993, pp. 107 e ss.

1. *Un gruppo tipico tra le psico-sette*

Uno dei gruppi più caratteristici dei movimenti del potenziale umano è noto negli ambienti degli addetti ai lavori con una sigla: LDP. Si tratta delle iniziali delle parole inglesi *Life Discovery Principles* che identifica una associazione nata ufficialmente a Vicenza alla fine del 1981. Il capo è tal Basil De Luca sulla cui figura circola il più rigoroso riserbo. Secondo lo statuto dell'associazione lo scopo e la finalità del gruppo sono quelli di rilanciare i valori fondamentali della persona, svolgere opera di informazione sulle tecniche e metodi di sviluppo della personalità a ogni livello, stabilire princìpi informativi e formativi delle persone di successo, sia dal punto di vista del proprio sviluppo armonico che in rapporto alla dinamica del comportamento dell'individuo stesso. Il tutto è in prospettiva di una nuova situazione socio-culturale che dovrebbe dare dei frutti insperati nel campo del rapporto con la famiglia, con l'ambiente di lavoro e con le problematiche dei vari ambienti di pertinenza. Le finalità dell'associazione (in sostanza molto nebulose) dovrebbero essere la possibilità di svolgere una serie di attività che «specialmente attraverso un'impostazione positiva della vita conduca all'autorealizzazione intesa come attuazione concreta delle proprie potenzialità». Così almeno è scritto nello statuto dell'associazione. LDP è presente in tutta Italia oltre che ovviamente negli Stati Uniti, nel Canada, in Argentina e in moltissime nazioni europee[5]. LDP propone corsi di vario genere gestiti da due differenti società economiche, una con sede in Germania l'altra con sede a Vicenza. Tali proposte sono assai variate: vi sono corsi di psicosessuologia definiti come «offerte di un'informazione sulla sessualità dove la sessualità non vuol dire solo sesso ma anche star bene col proprio corpo, essere capaci di instaurare una comunicazione gioiosa e positiva con gli altri». Si presentano corsi di *memory* nei quali «si sviluppa l'efficienza mentale e le tecniche mnemoniche e si insegna a ricordare dati, informazioni, nomi, numeri, e come migliorare la propria capacità di concentrazione». Non poteva certo mancare il training mentale: «un corso che mette ogni allievo in condizione di sfruttare maggiormente il potenziale psicofisico di

[5] Cfr. Antonello M., «Le psico-sette», in *Sette e religioni*, cit. p. 370.

cui tutti sono dotati fin dalla nascita ma che l'educazione tradizionale ha ovviamente messo in parentesi». Più recentemente sono comparsi due interessantissimi corsi: uno è «camminare sulle braci ardenti» definito come «un'esperienza del potere sulla risoluta intenzione» e poi il cosiddetto *pole course* ovvero «corso del palo». Si tratta di salire su un palo alto 15 metri e buttarsi giù tentando di afferrare una sbarra trasversale situata a mezz'aria. Questa attività ginnico-esperienziale è definita come «un'esperienza entusiasmante che ha lo scopo di aiutare una persona ad andare oltre i limiti che si è imposta». Ma il corso più interessante per le tecniche che vengono adottate, per i contenuti che vengono propagandati è il cosiddetto DBN ovvero *Dinamic Business Management*. La parola *business*, «affare», deve essere inteso come «l'affare più importante per ognuno di noi» cioè la *propria vita*. Si tratta di «un corso in cui si impara a condurre la propria esistenza in modo dinamico diventando dei leader di se stessi». Il tutto si svolge in quattro giorni in un albergo di Ginevra dove vengono adottati stili e tecniche a dir poco sorprendenti. I partecipanti vengono invitati a confessare episodi problematici della loro vita come per esempio aver avuto rapporti omosessuali, aver avuto relazioni extraconiugali, aver fatto l'amore di gruppo, aver maltrattato familiari o figli, aver sperperato i denari, o, per le donne, aver abortito. Una volta che l'istruttore o l'istruttrice avrà ottenuto queste informazioni le userà durante la tecnica fondamentale del corso che è quella dello psicodramma. Si fa rappresentare su un fittizio palcoscenico l'evento che ha più condizionato il soggetto o che in qualche modo fa soffrire il soggetto stesso. Lo psico-dramma (elaborato dallo psicanalista viennese J. L. Moreno) nell'ambito del DBM diventa molto forte e molto violento. Abbiamo assistito a un tale evento. Una donna, che aveva confessato di avere abortito, venne spogliata e messa al centro della sala con una bambolina in mano, mentre una musica diffusa riproponeva il ritmo martellante del cuore che batte, e una delle istruttrici leggeva un brano letterario che parlava di bambini non nati o che faceva appello alla maternità. Nel testo letterario si descriveva l'aspetto del bambino facendo leva sull'emotività. La donna cominciò a urlare, cadde a terra, dibattendosi e chiedendo pietà. In un altro caso un uomo disse di aver avuto relazioni con donne diverse e di aver fatto l'amore di gruppo nonché di aver usato sostanze stupefacenti leggere. Venne messo in una gabbia e trattato come se fosse una scimmia. Quando costui reagì venne preso a schiaffi dall'istruttore. Un ragazzo raccontò di avere avuto rapporti omosessuali. Posto al centro di un circolo completamente nudo venne coperto con una pelle e con una maschera di maiale e sottoposto alla violenza di essere penetrato da un fallo artificiale. I partecipanti pare non possano sottrarsi alle regole rigidissime del gruppo. In caso di trasgressione vengono sottoposti a punizioni «collettive» nel senso che tutti i componenti devono vibrare un colpo sul malcapitato trasgressore e con una certa violenza. Si verificano svenimenti causati dalla deprivazione sensoriale e dalla mancanza di sonno. Le persone in questo caso sono soccorse da un giovane medico che segue i partecipanti durante tutto il corso. Il tutto si svolge con le serrande abbassate, i pasti vengono serviti in maniera sfalsata e le ore di sonno sono limitatissime. Il corso termina con una festa durante la quale tutte le forme aggressive vengono in qualche modo disconfermate e una generale affettività viene esibita e condivisa in maniera direi non troppo sincera. Il gruppo ovviamente utilizza un linguaggio specifico che permette ai membri di sentirsi parte di una *comunitas* in qualche modo differente perché migliore rispetto al resto dei comuni mortali. Ogni incontro è caratterizzato da esuberanti manifestazioni affettive come abbracci, baci e strette di mano e l'impressione che se ne ricava è quella di una esasperata esibizione che fa sfoggio di forme puramente esteriori.

2. *Il caso di Scientologia*

La *Scientologia* è uno dei movimenti più controversi e di difficile classificazione anche se adotta stili da psico-setta. Nonostante le polemiche, la sua attività di propaganda resta intensa in diversi paesi. I suoi insegnamenti rimangono decisamente segreti e mescolano insieme gnosticismo e fantascienza.

La Scientologia ha spesso avviato azioni giudiziarie contro coloro che ha percepito come avversari o peggio «stranieri interni», «il che ha senza dubbio contribuito a rendere prudenti alcuni potenziali ricercatori»...[6]

[6] Cfr. Mayer J. F., «Tra gnosi, magia e fantascienza: la Scientologia», in *I nuovi movimenti religiosi*, cit., p. 292.

Il fondatore di questa «chiesa» fu Ron Hubbard (1911-1986), scrittore di fantascienza. Agli inizi degli anni Cinquanta, Hubbard presentò la Dianetica, sistema complesso che in certi punti ricorda la psicanalisi. Secondo la teoria dianetica, gli *engrammi* (cioè i ricordi inconsci di esperienze passate dolorose o angosciose) ci impediscono di godere del nostro pieno potenziale. Attraverso una pratica originale, queste esperienze passate sono riportate alla memoria e in qualche modo cancellate. Con le sue tecniche Hubbard entrò subito in polemica con la psichiatria e la psicanalisi ufficiali, dando origine a controversie non ancora quietate. Il maestro con un colpo di genio fondò una religione, La chiesa di Scientologia, per usufruire della libertà di culto che è fiore all'occhiello della democrazia USA. Hubbard elaborò così una vera e propria cosmologia e una antropologia alternative[7]. L'uomo è uno spirito che ha un corpo: alla morte fisica l'uomo abbandona questo corpo, ma quello che si perpetua attraverso incarnazioni successive è il *thetan* (lo spirito, che viene a unirsi al corpo qualche minuto dopo il parto).

Per la Scientologia l'uomo è *dirty*, cioè sporco, in quanto infettato dagli engrammi negativi. Tutto il processo di costruzione e di evoluzione consiste nel diventare *clear* attraverso le tecniche della dianetica. Il clear è una persona che ha raggiunto uno stato così evoluto da godere di poteri telepatici, conservare il ricordo di tutte le percezioni passate e acquistare una memoria straordinaria, per cui può liberarsi dai mali del corpo, dai dolori e da ogni tipo di reumatismi. In effetti non si tratta soltanto per il clear di essere capace di perseguire i suoi fini nell'esistenza, ma anche di acquisire una formazione scientologica con la quale egli può raggiungere in seguito tutta una scala di stati ulteriori, cioè quelli di «thetan operante», come dice la sigla OT. Dopo essersi sbarazzati del *mentale reattivo* che impedisce di godere del loro pieno potenziale, gli Scientologi passeranno successivamente ai diversi livelli di OT che permetteranno loro di sviluppare ancora di più le loro capacità, soprattutto quella di esteriorizzazione. È importante precisare che tutto questo processo costa una piccola fortuna[8]. Nell'itinerario scientologico di gratuito c'è solo il test di personalità iniziale che serve per adescare il futuro membro. In base a

[7] Cfr. *New Age Encyclopedie*, (a cura di G. Melton), ed. Gale Res. Inc., 1990, pp. 103 e ss.
[8] Introvigne M., «La Scientologia», in *I nuovi culti*, cit., p. 152.

duecento risposte a domande molto diverse, i reclutatori della Scientologia suggeriranno alla persona avvicinata di seguire un corso per potenziare la comunicazione, a un prezzo ragionevole e con effetti sicuramente positivi. Solo alla fine di questo corso, il discepolo sarà oggetto di richieste insistenti perché si impegni di più. I nuovi corsi avranno un prezzo sempre più elevato. Le successive operazioni riguardano il cosiddetto *auditing*, nel corso del quale avvengono i ritorni nel passato, nelle vite anteriori, per cancellare gli engrammi. Se qualcuno decide di impegnarsi ancora di più, entrerà nella *Sea Organization*. Si tratta di una organizzazione di fraternità in seno alla struttura della chiesa di Scientologia. I suoi membri sono persone estremamente devote che «hanno fatto voto di servire in eterno la chiesa stessa». La Sea Organization vive in comunità come gli ordini religiosi tradizionali. Si chiama così, *Sea*, «mare», perché tra il 1966 e il 1975 parecchi battelli servivano come luoghi di ritiro religioso. L'equipaggio era composto da membri dell'organizzazione, che aveva adottato anche l'uniforme della Marina. I membri di tale organizzazione servono «in eterno» *Scientology*, in quanto firmano un impegno per il prossimo... miliardo di anni.

Le conoscenze segrete della Scientologia si apprendono a tappe successive, e quindi molto lentamente. Possiamo rivelare alcuni elementi, ma non tutto l'insieme delle credenze e delle mitologie. Intanto la Scientologia considera «soppressive» le persone che le si oppongono; si tratta di persone che commettono azioni volontarie volte a fermare o a distruggere la Scientologia o uno dei suoi membri. Scrivere una lettera contro la Scientologia alla stampa, per esempio, è già un atto «soppressivo». Gli adepti della Scientologia devono «deconnettersi» dalle persone «soppressive», anche se si tratta di parenti o di amici molto vicini. L'invenzione di un linguaggio più o meno mitologico è parte integrante della visione del mondo tipica della Scientologia. E così è altrettanto tipico un mito di origine così riassunto da Cragnon:

All'origine i Thetan esistevano da soli, onnipotenti, onniscienti, indistruttibili e immortali. Ma non avendo nulla da fare, soffrivano della loro stessa immortalità. Per uscire dalla noia decisero di giocare un gioco, creando vari universi. I Thetan caddero vittima del loro stesso tranello: si fecero assorbire dagli universi che avevano creato, universi fatti di materia, di energia, di spazio e di tempo, fino a dimenticare che essi stessi ne erano i creatori. Così essi persero la loro potenza e la loro onniscienza. Nel mondo in cui viviamo, giacché i Thetan hanno dimenticato la loro autentica identità spirituale, essi credono di essere soltanto dei corpi.[9]

Alcune testimonianze di dissidenti che hanno percorso l'intero processo di iniziazione hanno permesso di ricostruire altri segreti. Per esempio, il passaggio al livello di OT III è descritto come «la traversata del muro di fuoco». Gli insegnamenti segreti spiegano che le disgrazie degli esseri umani risalgono ai misfatti di un tiranno chiamato Xenu, capo della confederazione intergalattica, vissuto circa 75 milioni di anni fa. Egli provocò una catastrofe terrificante, che ancora oggi ha un impatto terribile sulle nostre vite e sulla nostra civiltà. Ma coloro che arrivano al livello di OT III apprendono che numerosi «Thetan del corpo» (non meglio identificati) sono come incrostati su ciascuno di noi in quanto Thetan; quindi si tratta di una sorta di invasamento o di possessione. L'evoluzione consiste nell'apprendimento delle tecniche segrete che permettono di separarsi da queste centinaia di Thetan. Chi vuole avanzare nel processo spirituale deve liberarsi dalle incrostazioni. Siamo quindi infestati da spiriti parassiti. Una fuoriuscita dalla setta, Giulia Darcondo, ha narrato che le tecniche segrete sono in sostanza una serie di esorcismi laici. Le esperienze sono sconvolgenti in quanto si assiste a una sorta di lotta contro queste entità estranee durante la quale si odono voci «interiori» che si suppone provenire da questi Thetan. Il tutto è comunque avvolto nel più fitto mistero, anche perché i membri ancora operanti nella Scientologia contestano le affermazioni dei fuoriusciti e sono sempre pronti a scatenare offensive giuridiche, coadiuvati dai migliori avvocati che si possono trovare sulla piazza[10].

[9] Cfr. Cragnon R., «La Scientologie, une nouvelle religion de la puissance», cit., in Mayer J. F., p. 303.

[10] Cfr. Mayer J. F., op. cit., p. 293.

V. La nebulosa magico-esoterica e l'occultismo

Nel mondo minoritario delle sette si mescolano realtà diverse che vanno dalle società occultiste di tradizione ottocentesca come la Teosofia (che conta decine di migliaia di adepti in Italia e un paio di milioni nel mondo) fino a gruppetti di dimensioni ridottissime come quello della scuola esoterica Claudio D., composto dal signor D., sua moglie, la suocera e tre figli. Vale la pena di ricordare come sono entrata in contatto con questo gruppo che si faceva pubblicità con dei depliant poggiati sui banconi delle librerie esoteriche. La scuola esoterica-sciamanica del signor Claudio aveva sede presso la sua casa. Alla mia richiesta di iniziazione il signor Claudio mi ha insegnato ad evocare gli spiriti. Durante il rituale sua moglie, nella cucina antistante il «cenacolo» friggeva la cipolla. L'effluvio dell'*allium cepa* si mescolava agli incensi di *kush* con effetti prodigiosi. Forse è stata proprio la puzza di cipolla a richiamare gli spiriti: nel Rinascimento Giovanni Della Porta lo sospettava. Si sentivano infatti dei colpi che sembravano provenire da un armadio del corridoio ma che furono immediatamente etichettati come le risposte degli spiriti evocati. Dopo questa esperienza, spinta da una travolgente curiosità antropologica, programmai una vasta ricerca prendendo contatto oltre che con le congreghe tradizionali dei Rosacroce, dei teosofi, degli Steineriani, degli archeosofisti, degli ufologi anche con una miriade di piccoli gruppi esoterici che mi accolsero nel loro grembo attraverso più di cinquanta iniziazioni. Sono entrata nella setta di tal Oscar di Firenze, ferroviere ed ex pope ortodosso, che mi ha consacrata all'Amore Cosmico e alla Mente Universale mentre ero tutta velata di bianco con due candele rosse in mano. Ho seguito i corsi degli Ergoniani che con un aggeggio atto a captare i raggi cosmici ingrandiscono i rettili vicino a Sutri, nel Lazio: una lucertola di 10 cm diventa secondo loro una specie di caimano. I neopagani mi hanno invitata sul lago di Albano per il solstizio d'inverno: **abbiamo offerto** libagioni a Giano, Vesta, Diana nemorense, agli dèi **inferi** (quelli giusti per la magia nera) con il rosso di Pitigliano. Questi gruppetti sono più di 600 e sono destinati certamente ad aumentare. Un demone scissionista agita infatti il mondo delle sette occultiste che nascono, si espandono e poi scompaiono oppure si dividono intorno a figure poco raccomandabili di capi carismatici. Che cosa promettono costoro agli adepti? Intanto lo svelamento di verità segrete che sono in esclusivo loro possesso e che si possono riassumere in questi termini: l'uomo ha un potenziale enorme di energia psichica che può usare a scopi magici, cioè atti a cambiare il corso degli eventi. Sotto la guida del «profeta» l'adepto può diventare simile a Dio e possedere la Terra. Tutto questo costa molto: l'esoterismo muove in Italia un vertiginoso giro di miliardi. In questo mondo dagli incerti confini le tipologie sfumano le une nelle altre: gruppi satanici si configurano come vie di salvezza, sette neo-orientali praticano la magia, confraternite religiose come i Templari praticano l'esoterismo e l'occultismo. Su questi gruppi poi si sovrappone una serie di tematiche legate alla New Age che rende il tutto apparentemente più nuovo e propone un linguaggio al passo con i tempi. Inseguire questa realtà non è stato facile: personalmente ho praticato mantra in varie lingue orientali, ho ascoltato interminabili conferenze su cosmologie improbabili, ho percepito onde e vibrazioni di persone esistenti in altri pianeti, ho danzato ai ritmi più diversi, da quelli dei dervisci a quelli degli indiani del Nord America, ho meditato per ore e ore ma non sono riuscita a sviluppare in me quelle potenzialità magiche che il capo carismatico prometteva a tutti. Malgrado le differenze sia numeriche che di impostazione teorica e soprattutto di linguaggio, tutti questi gruppi propongono una antropologia alternativa, un'immagine dell'uomo del tutto originale. L'uomo è visto come un essere privilegiato che ha un potenziale enorme di energia psichica che può usare a scopi magici, cioè atti a cambiare il corso naturale degli eventi. I testi in circolazione per gli adepti insistono tutti su tale punto. Basta considerare i titoli: *Il potere della mente* (del gruppo *Carolina*), *Bio-psico-energetica*, *I corpi sottili dell'uomo* ecc.

L'altro elemento che si affianca a questo è la creazione di una cosmogonia alternativa: dai teosofi ai Martinisti, dagli gnostici alla scuola scientifica Basilio tutti i gruppi hanno un'idea universalmente diffusa che è quella dell'emanazione: un'energia primitiva (spesso di natura divina) ha originato la materia per emanazione. Essendo l'anima umana parte dell'energia del cosmo, dopo la morte o meglio la disincarnazione, l'anima è 99 volte su 100 costretta a reincarnarsi. Tutto questo fa da supporto a una aperta polemica antiscientifica in nome dell'uomo, del suo destino e della difesa dell'ambiente. In realtà i fatti maggiormente esecrati dalla maggior parte dei gruppi sono: la scienza e la tecnologia moderna, Tommaso d'Aquino e/o Aristotele, la carne bovina e quella suina, le comunicazioni di massa (soprattutto la Tv espressamente vietata ai Rosacroce e ai Cenacolisti di Prometeo), il sesso praticato con i non adepti (mentre tra gli adepti sono ammesse varie specie di perversioni). La *vis polemica* più spinta è nei riguardi della Chiesa cattolica che è criticata su due versanti: sia perché è gerarchizzata ed è stata colpevole dei roghi dell'Inquisizione, sia perché è al corrente delle verità segrete ma si guarda bene dal divulgarle. Infatti il suo messaggio è di tipo exoterico, aperto, comprensibile mentre l'aspetto esoterico, misterioso, realmente salvifico è tenuto nascosto. Solo i capi carismatici delle singole sette (come, poniamo, il signor Claudio D.) hanno capito il vero messaggio biblico e lo rivelano agli adepti attraverso segrete iniziazioni.

I capi e gli adepti hanno una cultura di base medio-bassa, non hanno rispetto per la filologia dei testi religiosi né per la storia della filosofia e per la storia politico-sociale tout-court. Le dottrine esoteriche presentano così aspetti sincretici a dir poco arditi, sintesi di dottrine arcaiche a cui si mescolano innovazioni recentissime. Le dottrine e gli *auctores* più saccheggiati e mai citati sono sicuramente quelli della teosofia: le opere di Madame Blavatski e di Annie Besant fanno da sfondo a quasi tutte le teorie dei gruppi magico-mistico-esoterici. Ma non mancano riferimenti a Platone e ai neoplatonici, allo gnosticismo (che, già complesso da parte sua, fornisce ulteriori elementi di confusione), alla Kabbalá ebraica (mistica di cui ben pochi «esoterici» conoscono i testi), l'alchimia, l'astrologia, la mitologia di tutto il mondo. E ovviamente le religioni orientali.

Un altro elemento in comune ai gruppi esoterici è un rituale di iniziazione per i nuovi adepti, rituale che può essere appena accennato come la recitazione di una formula, o elaborato e complesso come quello dell'*Ordo Templi Orientis* o quello segretissimo del gruppo *Carolina*.

1. *La società teosofica*

La teosofia di Madame Blavatski ha, come si è visto, profondamente influenzato l'occultismo e l'esoterismo contemporaneo. La teosofia (che letteralmente significa «conoscenza di Dio») è un singolare sincretismo di psicologismo, spiritismo e religioni indiane. La fondatrice, Elena Blavatski, era certamente dotata di una forte personalità e di un potente carisma. Unitamente a H. S. Olcott fondò nel 1875 a New York la Società teosofica. La Bibbia dei teosofi è il misterioso *Libro Dzyan* di cui si ignorano le fonti. La cosmogonia teosofica conosce un lungo processo di sviluppo del mondo attraverso diversi gradi intermedi tra la materia e lo spirito visti come situazioni-limite bipolari le quali però, vedute assialmente, sono una cosa sola. I vari gradi di evoluzione sono subordinati ai pianeti e chiamati con i loro nomi. L'uomo, composto di corpo, anima e spirito, cresce attraverso stadi particolari che sono materia, corpo, corpo etereo, corpo astrale, ragione e anima fino allo spirito. Forze conoscitive accresciute nella meditazione portano con il tempo alla contemplazione immediata di tutte le cose. Con espressioni assai complesse e spesso astruse viene spiegato il mistero del male che venne all'uomo nell'Età del Sole per colpa di uno spirito solare bruciato: Cristo come spirito solare buono è il vincitore vittorioso di ogni male. La teosofia insegna la indifferenza di fronte alle varie religioni che sarebbero fondamentalmente tutte uguali. L'anima umana non ha né principio né fine: essa è avviluppata in un processo continuo di ritorni. In successive reincarnazioni l'anima giunge alla unificazione con la sostanza assoluta del mondo. Come punto di partenza per lo stadio successivo, l'anima è posta sulla bilancia del bene e del male e ciò si ripete alla fine di ogni singola esistenza chiamata *karma*. È chiaro nella teosofia il grande apporto delle filosofie orientali e di elementi occultistici desunti da varie differenti tradizioni. Un elemento-chiave di queste teorie è quello dei Maestri Invisibili o Maestri Ascesi che pur avendo completato il ciclo delle reincarnazioni (così come i bodhisattva della tradizione buddhista del «Veicolo Piccolo») decidono di rimanere sulla Terra per aiutare e guidare gli uomini alla loro realizzazione. Madame Blavatski aveva degli spiriti-guida che le rivelavano sia le modalità di comportamento all'interno della setta sia le verità più segrete. Alla morte della Blavatski la Società teosofica fu seguita da Annie Besant che proseguì le attività della fondatrice utilizzando in maniera più precisa elementi del cristianesimo, vissuti e interpretati in termini esoterici. La teosofia ha influenzato in maniera determinante la New Age al punto che si parla oggi, soprattutto negli Stati Uniti, di una Nuova teosofia.

2. La New Age[1]

La New Age è un vasto ed eterogeneo movimento di ricerca «spirituale» che ritiene (impropriamente secondo alcuni studiosi di astrologia) iniziata una nuova era zodiacale legata all'Acquario. La Nuova Era vuole contrapporsi alla precedente (quella dei Pesci dominata da razionalità, conformismo, paura, dolore, fanatismo, violenza) e si impegna a valorizzare l'emotività, l'espressività del corpo, l'energia della mente-spirito, la visione magica del mondo. Se anche astrologicamente non siamo nell'età dell'Acquario, la New Age trova sempre nuovi adepti e gode di una vasta diffusione. Questa nuova sensibilità è nata sulla scia della controcultura americana: già nel 1960 l'opera rock, *Hair*, cantava la prossima venuta dell'Acquario. E una nota sorprendente è che nella *New Age Encyclopedia* tra gli elementi che precorrono il pensiero New Age è citato a chiare lettere: «il razionalismo di René Descartes (1596-1650)»[2]. Penso che il vecchio Cartesio debba sentirsi veramente lusingato di essere un precursore del pensiero più anti-metodico che il secolo XX ha potuto produrre.

Pur nella sua eterogeneità e vastità, la New Age si presenta come un modo nuovo di pensare che guarda verso le tradizioni millenarie di tutte le mitologie e verso la saggezza orientale[3].

I fedeli della New Age detti anche Acquariani vogliono fon-

---

[1] In inglese la parola *age* è neutra. In francese *l'age* è maschile e porta l'articolo maschile. In italiano «età» è femminile. Nell'articolare l'espressione inglese New Age preferisco usare il femminile a differenza del traduttore dell'opera di Jean Vernet, *Le Nouvelle Age*, che adotta il maschile *Il New Age*.

[2] *New Age Encyclopedia*, a cura di J. G. Melton, ed Gale Res. Inc., 1990, p. 128.

[3] Il «vangelo» della New Age è il testo di Marylin Ferguson, *The Acquariam Conspiracy*, Los Angeles, 1980, che identifica nella Nuova Era il tempo della vera liberazione dello spirito. Cfr. anche Vernette J., *Il New Age*, (trad. it.), Milano, Ed. Paoline, 1992.

dersi con la natura e il cosmo fino a scoprire in loro stessi la scintilla della grande energia universale che è Dio. Essi rigettano le chiese istituzionali che vogliono imporre un rapporto definito col divino attraverso magari una gerarchia sacerdotale: gli Acquariani vogliono stabilire un contatto immediato e diretto con la divinità che è sentita presente nell'universo. Il credo implicito della New Age ha molte somiglianze con l'esoterismo e con l'occultismo. Potremmo dire che nel grande fiume della New Age confluiscono ruscelli disparati provenienti da tradizioni spirituali assai diverse. Esiste una componente legata al folklore magico che rivaluta la presenza delle fate e degli gnomi, chiamati a volte con il termine induista di *devas*. Esiste un largo filone che si rifà a un Cristo cosmico che anima tutto l'universo come una energia sottile. La componente extraterrestre è anch'essa molto forte: si suppone la presenza di Maestri Invisibili che vengono da altri mondi per guidare l'umanità verso la rigenerazione finale. L'influenza del pensiero orientale (vuoi buddhista vuoi induista o yoga) è altresì costante: concetti come quello di karma e di chakra (punti energetici del corpo) sono ormai passati nel linguaggio corrente della New Age. Ma anche le religioni dei primitivi come lo sciamanesimo e l'animismo hanno convogliato le loro acque nel fiume della New Age. Non va dimenticato il *channeling*, ammodernamento del tradizionale spiritismo, che presuppone l'apertura di canali privilegiati dai quali spiriti e Maestri Superiori possono, con i loro messaggi, guidare l'umanità attraverso medium ben pagati dai clienti. Più frequentemente i messaggi provengono da sotto-personalità spirituali di un'unica Mente Universale, di cui anche noi, comuni mortali, siamo parte integrante. Il mondo degli affari statunitensi ha accettato alcuni paradigmi del nuovo modo di pensare: si organizzano seminari di sciamanesimo e di yoga, corsi di occultismo e di pratiche tantriche per attivare le energie e migliorare l'efficienza di manager e funzionari, mentre l'astrologia e la numerologia sono talvolta utilizzate per selezionare candidati a un impiego. Tra i fini che il nuovo paradigma acquariano si propone dobbiamo sottolineare l'espansione del piano di coscienza, l'attenzione al corpo e alle medicine alternative, l'ecologia mistica, l'interesse per la filosofia, il rigetto per le chiese ufficiali. La fede nella grande energia cosmica o vibrazione universale sarebbe alla base di fatti prodigiosi che vengono ritenuti reali e puntualmente riferiti dai seguaci della

New Age. Le pratiche e le ideologie acquariane sono estremamente differenziate ma unificate da una visione *olistica*, parola continuamente ripetuta in seminari, conferenze e conversazioni. Le pratiche più diffuse vanno dalle tecniche di espansione della coscienza a terapie dell'anima, dalla lettura dei tarocchi alla comunicazione con le entità del mondo invisibile, dalle attività di padronanza del corpo (come la danza sacra o il *Tai Chi*) fino all'arte floreale dell'ikebana e alla dieta vegetariana. Lo scopo dichiarato è quello di ricondurre a una totalità ciò che è scisso e differenziato. La New Age trova elementi comuni nel buddhismo, nell'induismo, nel sufismo, nella tradizione biblica ma anche nello gnosticismo di cui ricupera forse inconsapevolmente l'idea delle conoscenze segrete e della salvezza degli eletti. La New Age è fondamentalmente un nuovo modo di pensare che risintetizza valori spirituali, filosofici e persino scientifici per realizzare una nuova civiltà, una nuova coscienza planetaria. Nella vita di ogni giorno la New Age ha portato al potenziamento di concetti che si credevano ormai sorpassati: un italiano su due consulta regolarmente il suo oroscopo, uno su tre crede che ci sia del vero nelle previsioni dei veggenti e degli indovini ed è incline a una visione magica del mondo. Ma a questo sfondo tradizionale la New Age ha inserito idee estranee alla nostra tradizione come quella fondante della reincarnazione. Esistono ormai dei santuari della New Age; uno di questi è a Esalen, collina tra San Francisco e Los Angeles, dove già negli anni Settanta si dettero appuntamento psicoterapeuti, artisti, psicologi, scienziati. Lì nacque il Movimento per lo sviluppo del potenziale umano. Il fine era quello di espandere le percezioni dell'uomo, di togliere dai ceppi il suo essere, di sbloccare la sua anima e di accogliere le nuove forme di pensiero venute dall'Oriente. Un secondo punto di riferimento si trova a Findhorn nella Scozia settentrionale non lontano dal lago di Loch Ness. Lì due avventurieri dello spirito, Peter e Eilin Caddy, diedero vita a un orto dove affermavano di far nascere degli enormi legumi. Il «miracolo» accadeva perché essi si intrattenevano direttamente con gli spiriti delle piante chiamati con termini induistici *devas*. Da questo luogo si diffonderà un messaggio che ha raggiunto tutte le nazioni dell'Occidente, Russia compresa. Questo insieme disparato di idee, sentimenti, posizioni interiori e spiritualità alternativa si

sta espandendo in maniera sempre più forte e presenta una nuova
forma culturale e un nuovo linguaggio. Esiste infine una corrente
musicale New Age ormai consolidata che pubblica una rivista
dallo stesso nome.

3. Culti ufologici

Già dalla fine degli anni Quaranta varie persone hanno soste-
nuto di essere entrate in contatto con entità extraterrestri. Su questa moda si è sviluppata una nuova sensibilità che fa dei messaggi degli extraterrestri il punto di forza di gruppi a sfondo spirituale e mistico, spesso non molto numerosi ma assai attivi. I gruppi
che hanno raggiunto una maggiore visibilità sociale sono il movimento *Raeliano*, il gruppo *Nonsiamosoli* oltre a una miriade di
piccoli gruppi che considerano il rapporto con gli extraterrestri
una sorta di esperienza mistica. A volte l'intera storia delle religioni e i grandi libri rivelati vengono letti in chiave ufologica e
gli spiriti superiori (leggi: angeli, arcangeli e cherubini) vengono
interpretati come figure di extraterrestri giunti fino a noi da lon-
tanissime galassie. Nel grande movimento della New Age la realtà extraterrestre si mescola anche con l'idea del *channeling*. Si
tratta di un processo mediante il quale vengono ricevute da un
canale privilegiato delle informazioni da una realtà diversa da
quella fisica ordinaria e situata al di là del mondo fenomenico.
Questa attività molto diffusa tra i gruppi della Nuova Era include
messaggi di fonti non identificate con la coscienza o l'inconscio,
ma da interlocutori extraterrestri che rivelano verità misteriose.
Gruppi religiosi ufologici ruotano intorno alla figura di un «contattato», una persona che ha ricevuto un messaggio privilegiato
dalle entità misteriose dello spazio; è il caso di «Nonsiamosoli»
che ruota intorno alla figura di Eugenio Siragusa, uno dei più famosi contattati d'Italia, e del suo successore Giorgio Bongiovan-
ni. Oppure il caso del movimento «Raeliano» che si ispira alle
esperienze del francese Rael contattato dagli extraterrestri nel
1973. Si tratta probabilmente del culto ufologico di maggiori
proporzioni oggi in Occidente con una visione religiosa sostanzialmente atea secondo la quale non esiste un Dio creatore ma
una miriade di extraterrestri che hanno creato gli uomini in laboratorio impiantandoli poi sul nostro pianeta. La morale raeliana è

assai interessante perché propone una libertà sessuale in linea con i tempi, non garantisce l'immortalità ma la vita in pianeti straordinari dove gli onnipotenti extraterrestri fabbricheranno compagne o compagni di grandissima bellezza e pronti a soddisfare ogni tipo di desiderio erotico.

VI. Sette sataniche, stregoneria, neopaganesimo, magia

I gruppi e i gruppetti che si riuniscono nel nome di Satana hanno come loro caratteristica di sfuggire alle indagini e agli inventari[1]. Si tratta in Italia di un fenomeno clandestino, composto da persone che si riuniscono, fondano una congrega, celebrano riti e restano per lo più segreti. Eppure tali insignificanti frange demoniache vengono legittimate dalle comunicazioni di massa che amplificano incredibilmente il fenomeno. Il gruppo dei Bambini di Satana, attivo nella città di Bologna, viene sistematicamente intervistato e coccolato da giornalisti in cerca di emozioni. Ma tale gruppo, lungi dall'essere un caso isolato di folklore urbano bolognese, si riconnette a uno stile di vita trasgressivo che viene a essere sempre di più legittimato. Siamo arrivati al punto che ben tre ditte specializzate inviano contrassegno l'occorrente per «messe nere»: cappucci, mantelli, candele, messale con la liturgia in un assai discutibile latino, calici, stole e coltelli rituali. Il tutto costa 380.000 lire, la vergine nuda per l'altare e le ostie consacrate da profanare non sono comprese nel prezzo[2].

A parte questi casi folkloristici va detto che il satanismo puro dovrebbe essere quello che pone il Principe delle Tenebre nella più alta sfera della adorazione e lo sostituisce a Dio. Forme di questo tipo sono rarissime in Italia mentre ne abbiamo esempi nella Chiesa di Satana e nel Tempio di Set, entrambe in California. Il satanismo *doc* dovrebbe essere quello che crede nelle stesse configurazioni religiose del cristianesimo ma le rovescia, trasformando le preghiere in bestemmie e procedendo *au rebours* nel rituale in tutte le azioni cerimoniali. Anche la «messa nera» dei satanisti ortodossi non dovrebbe presentare elementi di orge

[1] Cfr. Introvigne M., *Il cappello del mago*, Milano, SugarCo, 1990, pp. 367-414, in cui si propone una tipologia dei vari culti.
[2] Cfr. Gatto Trocchi C., *Viaggio nella magia*, Roma-Bari, Laterza, 1993.

sessuali ma esclusivamente forme cerimoniali a rovescio. In realtà nel pantano satanista tutto si mescola e si confonde ed ogni capo o sacerdote inventa per così dire il proprio rituale e la propria ideologia. In Italia oltre le cosiddette chiese di Torino (la cui realtà è stata notevolmente gonfiata dalla stampa e dalla Tv) abbiamo delle chiese luciferine nelle quali la visione del Principe delle Tenebre è sostanzialmente positiva. Lucifero non è visto come il male bensì come principio di ribellione verso Dio e come erede delle divinità pagane. In questo senso forme di satanismo sfumano sia nella stregoneria che nel neopaganesimo il quale sottolinea (forse a ragion veduta almeno per quanto riguarda l'iconologia) che i diavoli dell'inferno cristiano altro non sono che le antiche divinità pagane degradate. Va inoltre detto che non tutti quelli che invocano il diavolo sono satanisti; si ricorre anzi al Principe delle Tenebre per potenziare incantesimi di magia nera contro i propri nemici, per realizzare azioni considerate impossibili, per assicurarsi il potere magico. Ecco quindi che il satanismo sconfina nella stregoneria in quanto il demonio è visto come il depositario di ogni potere e dominio magico[3]. La presenza del diavolo è quindi portatrice di forme rituali assai eterogenee e differenziate. In alcuni casi viene mescolata all'occultismo satanista l'assunzione di droghe o di enormi quantità di alcol che danno luogo a cocktail esplosivi e a comportamenti autolesionisti. È noto inoltre che sono stati raccolti dati inquietanti sui messaggi satanici contenuti nella musica rock, messaggi del tipo: «Satana è Dio», «vivi per Satana». Autori come Ozzy Osburn, gli Ac-Dc, i Led Zeppelin, i Judas Priests si ispirano all'occultismo demoniaco e amano Aleister Crowley, il grande mago nero della tradizione anglosassone. In Brasile sono recentemente scomparsi più di dieci bambini probabilmente sacrificati nei rituali della setta chiamata Lineamento Universal Superior su cui la polizia federale è già intervenuta. In Messico furono arrestati nel luglio del 1991 i capi di una congrega che coltivava marijuana e sacrificava a un demonio in forma di scimmia bambini e animali per assicurarsi magicamente la buona resa delle coltivazioni stesse. Infatti i narcotrafficanti mescolano elementi satanici al loro stile di vita: un paio di anni fa esplose il caso del padrino di Matamoros (un altro paese messicano al confine con gli Stati Uniti) responsabile,

---

[3] Vernette J., *La stregoneria oggi*, (trad. it.), Milano, SurgaCo, 1992.

insieme alla sua compagna, la strega Villareal, di aver sacrificato ritualmente una ventina di esseri umani per ottenere la protezione di Satana sul suo gruppo di spacciatori. In Italia non siamo ancora a tali livelli di pericolosità sociale ma il corteggiamento delle forze occulte è persistente e inquietante. Sette sataniche selvagge crescono un po' ovunque come funghi, si aggregano per brevi periodi e poi scompaiono.

La neo-stregoneria si configura come un insieme di piccoli gruppi altrettanto instabili, i quali presentano un curioso sfondo intellettualistico-culturale che si rifà a studi «antropologici». Nel 1933 la studiosa inglese Margareth A. Murray pubblicò un testo, *Il dio delle streghe*, nel quale sosteneva che la stregoneria europea altro non era che un residuo di antichi culti pre-cristiani che mettevano in scena cerimonialmente un misterioso «dio delle corna» e una sacerdotessa legata a una dea di cui Diana sarebbe una tardiva manifestazione[4]. I riti, segreti e notturni, trassero in inganno l'Inquisizione che bollò come «demoniaco» questo culto. Tali idee si mescolarono al revival celtico e druidico, al neo-paganesimo, alla magia cerimoniale che in Inghilterra si espresse nell'Ordine Ermetico della Golden Dawn o Alba Dorata, che vide nel suo interno intellettuali, artisti e scrittori, compreso il grande poeta simbolista W. B. Yeats[5]. Nella Golden Dawn era presente anche Aleister Crowley, il più importante e colto mago del Novecento.

Da questi apporti eterogenei trassero e traggono tuttora ispirazione gruppetti di neo-stregoneria come l'anglosassone Wicca o le associazioni statunitensi che, a detta della presidentessa Laurie Cabot, contano un milione di simpatizzanti. Tali gruppi sono altresì influenzati dall'attività di G. B. Gardner che pubblicò nel 1954 una sorta di vangelo dal titolo *La stregoneria oggi*, nonché il misterioso *Book of Shadows* o *Libro delle Ombre*.

In Italia vi sono due ordini segreti a sfondo femminista: *Le Ierodule di Iside*, e *Le Figlie di Mat*.

La magia di Aleister Crowley (di cui si vedono spesso ricostruzioni televisive della famosa «messa gnostica» a forte contenuto sessuale e con paludamenti di gusto *kitch*) vive in Italia in

[4] Il testo fu accolto sprezzantemente dagli addetti ai lavori, ma più recentemente alcune ipotesi sono state riprese e analizzate a fondo da Ginsburg C., nel volume *La storia Notturna*, Torino, Einaudi, 1989.
[5] Cfr. Introvigne M., *Il cappello del Mago*, cit. pp. 257 e ss.

due rami dell'*Ordo Templi Orientis*, uno a Bologna e l'altro a Milano.

Il neopaganesimo è più fiorente: oltre allo storico *Centro neoellenico* di religiosità politeista del ragioniere e commercialista Antonio de Bono di Milano e al *Cenacolo dei Sacri Lari* di Roma, è sorto nel 1993 sempre a Roma il gruppo segretissimo denominato *Eliopolis* che si prefigge come scopo la rinascita degli antichi dèi pagani, depositari della magia. Va ricordato che la più importante comunità magica d'Italia, chiamata *Damanhur*, si trova in Piemonte, presso Baldissero Canavese[6].

---

[6] Per ulteriori informazioni sulla magia rimandiamo a un prossimo testo di questa stessa collana.

VII. Le sette e il mondo contemporaneo: un'interpretazione

Da più parti si mette in risalto la pericolosità nei riguardi delle sette e dei nuovi culti religiosi. C'è chi invoca leggi statali più rigide, chi si riunisce in associazioni «anticulti», chi si affida a discutibili de-programmatori. Si sostiene che le sette operino il lavaggio del cervello e una forte manipolazione mentale. Certo è che gli adepti dei nuovi culti sono soggetti a processi interiori che l'antropologo non esita a chiamare di *de-culturalizzazione*. Nelle religioni alternative è proprio l'universo simbolico della cultura occidentale che viene messo in crisi e sistematicamente distrutto, è il legame con i predecessori che viene negato e rigettato: non a caso gli adepti o simpatizzanti dei nuovi culti hanno gravi problemi di armonia con la loro famiglia e molto spesso i legami con essa vengono radicalmente recisi. Esistono situazioni in cui i matrimoni vengono sciolti perché gli appartenenti ai gruppi alternativi non condividono più in nessun caso l'universo simbolico del partner. Il passato tradizionale europeo con un immaginario cristiano, con una serie di valori legati alla storia dell'Occidente viene negato mentre si accettano in maniera anche abbastanza ingenua valori, sciami di immagini, costruzioni simboliche che non hanno nessun riscontro nella cultura occidentale e che appaiono senza radici. Ciò è provocato dalla generale crisi della post-modernità: viviamo in un'epoca di pensiero disarmato, «debole», incapace di rendere intelligibile il mondo in cui la sola certezza è quella del movimento, in cui il reale sembra schermirsi in molteplici metamorfosi o simulazioni, sottraendosi a ogni tentativo di indagine. La post-modernità produce incessantemente il nuovo e rende l'uomo estraneo a ciò che crea al punto che egli non sa più nominare e dare senso all'universo sociale e culturale che si forma e si muove. La post-modernità è «movimento più incertezza». Siamo in un tempo in cui nulla è sicuramente acquisito, né il sapere e la competenza, né il sostegno sociale e affettivo. L'uomo post-moderno può sentirsi nella condizione di straniero nel suo stesso condominio. Di fronte alla privazione di significato, si moltiplicano i tentativi individuali di riappropriarsi del senso ed ecco che i gruppi religiosi alternativi e le sette ne rappresentano uno. Contemporaneamente la loro forma è quella peculiare del post-moderno che si edifica per costruzione e decostruzione, per addizione del nuovo sul vecchio, per utilizzazione nuova di elementi ricevuti dal passato o presi in prestito da tradizioni straniere. Le sette infatti assemblano riferimenti dottrinali, temi, valori, simbologie, modelli di vita e di comportamento spirituale di origine diversa. Il fatto di scegliere la propria estraneità, di definirsi come stranieri d'elezione, di porsi con una opzione precisa e volontaria al di fuori dell'universo simbolico del proprio gruppo è una realtà sintomatica di questi gruppi alternativi. Non a caso lo sfondo comune di tali aggregati è il concetto di New Age, della Nuova Era, epoca storica e insieme realtà simbolica che si contrappone alla modernità, vista come dominanza dello scientismo, della tecnocrazia, dell'arida razionalità aristotelico-galileiana e di altri malanni dell'Occidente. Va ricordato che le opzioni per l'esotismo in qualche modo legato a tradizioni aliene erano già state compiute dalle avanguardie culturali tardo-ottocentesche e novecentesche. L'esotismo, l'orientalismo, la magia erano stati utilizzati come arma potente di ribellione contro l'*establishment* borghese e la sua ideologia. Le avanguardie misero in gioco non solo il rifiuto della religione ufficiale, ma dei costumi sociali, dei sistemi assiologici ed estetici contemporanei. Tale rifiuto abbracciava sia i valori ebraico-cristiani che gli ideali greco-romani e rinascimentali.

Tra gli «stranieri interni» dei gruppi alternativi si ostenta un disprezzo per la cultura occidentale (peraltro nota solo sommariamente e attraverso luoghi comuni) che fu ripresa dalla polemica «sessantottesca» di stampo marxista terzomondista. Il percorso più comune degli adepti ai culti stranieri è stato dal marxismo all'esoterismo. In Italia i fermenti delle nuove forme culturali che sfoggiavano l'esotismo nacquero nell'ambito del movimento studentesco. In quel vasto fenomeno generazionale si potevano delineare due differenti spinte: «il movimento militante» rigorosamente politico e il «movimento desiderante» impegnato in una modernizzazione dei costumi e degli stili di vita. In questo secondo ambito l'esotismo e l'orientalismo erano obbligatori. Movimenti esoterici ispirati a fedi estranee alla tradizione giudaico-cristiana acquistarono la loro visibilità sociale proprio alla fine degli anni Sessanta. Sorsero tra i giovani nuove forme religiose «orientali»: il buddhismo zen pressoché sconosciuto prima degli anni Sessanta aprì le sue sedi a Roma, a Milano, a Bologna tra il 1971 e il 1973. Arrivò la meditazione trascendentale, la religione di Krishna, la predicazione di Osho. Sempre nell'ambito del movimento desiderante era d'obbligo la lettura di *Siddharta* di Hermann Hesse e delle opere di Carlos Castaneda: i giovani contestatori facevano a gara per andare a «scuola dallo stregone». Le teorie di Don Juan, maestro Yaqui inventato dai romanzi del misterioso Carlos Castaneda (non si è mai saputo chi fosse veramente costui), fecero adepti anche tra gli intellettuali. Elemire Zolla scrisse entusiasticamente che *A scuola dallo stregone* era il classico per le nuove generazioni: «è un testo sacro capace di introdurre nella esperienza metafisica»[1]. L'esotismo e l'orientalismo hanno fatto così irruzione nel tessuto sociale, nel mondo della semicultura (come la chiama Adorno) e hanno contribuito a distaccare i gruppi dall'universo simbolico dei padri. Con le parole dell'ormai celebre Don Juan si criticano e si disprezzano dell'Occidente quelle realtà che costituiscono «la cultura» in senso antropologico e che vanno dalle abitudini alimentari (come l'abominevole consumo di carne) alla medicina ufficiale, dalle strutture di pensiero legate alla razionalità a una presunta repressione sessuale, dall'arredamento domestico alle modalità di educazione dei giovani. Contemporaneamente al disprezzo per la cultura tradizionale, emerge una ricerca sotterranea di «rincantamento del mondo», per dirla con Max Weber, e di organizzazione di una mitologia alternativa, di sistemi assiologici forti, di spazi psicologici comunitari, di una visione del mondo totalizzante. Non esiste infatti setta o nuovo culto che non si configuri come «comunità consacrata» in grado di fornire una nuova definizione del mondo, una nuova cosmologia (che include spesso gli extraterrestri), una nuova antropologia, una nuova fede in realtà escatologiche come il destino dell'anima, la vita dopo la morte e il senso da dare all'esistenza. Tutto questo è definito esplicitamente in contrasto con l'universo dei valori caratteristico della nostra tradizione. Va comunque sottolineato che la tanto avversata cul-

[1] Zolla E., *I letterati e lo sciamano*, Milano, Bompiani, 1978, p. v.

tura occidentale è nota solo sommariamente e in modo spesso distorto, parziale e impreciso: si ignorano le basi dottrinali e teologiche del cristianesimo, la sua storia, la sua tradizione, mentre se ne conoscono alcuni aspetti etici e di questi quasi esclusivamente la morale sessuale. Dalle piccole sette di magia nera fino alle grandi religioni ispirate al buddhismo e all'induismo la critica dell'Occidente è radicale e totalizzante. Esiste quindi una convergenza di linee di forza tra l'adepto che è insofferente nei riguardi della propria cultura e la predicazione delle «comunità consacrate» alternative, le quali insistono in maniera quasi ossessiva nel distruggere i modelli concettuali, valutativi e interpretativi preesistenti nell'adepto. Esistono nuovi movimenti come la chiesa di Scientologia e le psico-sette in cui la prima parte della «catechesi» consiste nel distruggere sistematicamente tutti i parametri conoscitivi e tutti i modelli di riferimento del neofita fino ad annientare il «vecchio modo di pensare». Tale processo viene attuato con modalità più o meno equivalenti in tutti i gruppi che abbiamo esaminato: i processi di vera e propria de-culturalizzazione tendono a riportare la mente dell'adepto a una *tabula rasa* su cui sia più facile inscrivere i nuovi sistemi simbolici, le nuove formulazioni di parametri valutativi e concettuali, unitamente a rivelazioni misteriche riservate a pochi eletti, come il fatto ad esempio che esisterebbero nel cosmo migliaia di esseri intelligenti che abitano altri sistemi stellari e che gli scienziati attuali (ottusamente positivisti) si affannano a non riconoscere, mentre sono ben noti agli indios del Perù e agli abitanti dell'isola di Pasqua. A loro volta i gruppi degli adepti non tollerano contrapposizioni e polemiche, non tollerano chi non si conforma al credo dominante nel gruppo. Chi scrive ha vissuto queste esperienze direttamente: presentandosi come scienziata sociale desiderosa di apprendere i riti e la mitologia del gruppo, ne è stata scacciata. Sarebbe stata una «straniera interna», una spia, una potenziale nemica in veste di amica. Per conoscere i segreti delle sette sono state necessarie trasformazioni e camuffamenti e soprattutto proporsi come adepta bisognosa di redenzione. Il desiderio inconsapevole di ordine viene sfruttato dalle comunità e dai capi allorché si trasformano in organizzazioni settarie e si ristrutturano come sistemi criptototalitari. Le sette reclutano i loro membri ricorrendo alla seduzione di una pubblicità magico-spiritualistica, separano gli adepti, allentano la rete dei rapporti familiari e di amicizia imponendo il gruppo nuovo come quello dei veri parenti, condizionano i mezzi di espressione eliminando il linguaggio tradizionale e sostituendolo con quello specifico della comunità; spesso assoggettano il corpo o con il piacere (la sessualità tra gli adepti è promossa e incoraggiata) o con varie forme di tabù; sorvegliano e controllano ogni tentativo di autonomia. Mentre si presentano come organizzazioni spirituali, i gruppi intraprendono imprese economiche spesso multinazionali con attività e risorse diversificate. Per mettere in evidenza tali meccanismi segreti è stato necessario uno sguardo «da lontano», cioè esterno rispetto agli appartenenti al gruppo stesso. L'antropologia è abituata a penetrare legami e ideologie, a relativizzare il pensiero immanente e a smascherare le mitologie collettive. I gruppi religiosi alternativi, anche se di piccole dimensioni e relativamente poco incisivi sui modelli generali della comunità, rappresentano (come le tribù) laboratori sociali e culturali dove si attuano fenomeni dinamici di notevole interesse. Le sette si configurano come luoghi culturali dotati di senso capaci di incanalare i rapidi mutamenti sociali, capaci di dare loro nuove interpretazioni.

Alla domanda pragmatica «che fare?» le risposte sono complesse e differenziate. Spesso accade che parenti o amici di adepti integrati in nuove sette chiedano consiglio agli addetti ai lavori. Va intanto sottolineato che «l'adepto tipo» è dotato di una sorta di «nomadismo culturale»: spesso abbandona spontaneamente la setta per rifugiarsi in un'altra organizzazione spiritualistica o religiosa. Ma al di là di questo spontaneo nomadismo culturale va tenuto conto che una via intermedia è la migliore da seguire. Parenti e amici devono mantenersi in contatto con l'adepto e sviluppare un rapporto positivo, evitando di ridicolizzare o di prendere posizione troppo violenta contro la setta scelta in quel momento dal soggetto. L'esortazione del vecchio Spinoza: «non ridere, non piangere, ma comprendere» può sempre tornare utile in casi di questo genere. Un'altra operazione importante da parte di familiari e amici è di ottenere informazioni precise sul movimento e sulla setta. In tal caso si possono avere delle coordinate specifiche sulle attività e sui rapporti tra convertito e gruppo. Spesso non è facile per l'adepto riconoscere il proprio fallimento: la sicurezza di avere qualcuno su cui contare (vuoi parenti, vuoi amici) può essere un punto di forza utile e significativo.

Bibliografia essenziale

La bibliografia sulle sette (scientifica e divulgativa) è ormai vastissima, specialmente nei paesi di lingua inglese. Abbiamo selezionato i testi di interesse generale e quelli che presentano un approfondimento di un problema specifico. Una particolare menzione merita la rivista *Sette e religioni* (a cura del Gruppo di ricerca e informazione sulle Sette) edita a Bologna, ed. Studio Domenicano.

ACQUAVIVA, SABINO, – STELLA, RENATO, *Fine di un'ideologia: la secolarizzazione*, Roma, Borla, 1989.

BAINBRIDGE, WILLIAM SIMS, *Satan's Power: Ethnography of a Deviant Psycotherapy Cult*, Berkeley, University of California Press, 1978.

BARKER, EILEEN (a cura di), *New Religious Movements: A Perspective for Understanding Society*, New York-Toronto, Edwin Mellen Press, 1982.

BARKER, EILEEN (a cura di), *Of Gods and Men: New Religious Movements in the West*, Macon (Georgia), Mercer University Press, 1983.

BARKER, EILEEN, *The Making of a Moonie: Brainwashing or Choice?*, Oxford, Blackwell, 1984.

BARKER, EILEEN, *I nuovi movimenti religiosi*, (trad. it.), Milano, Mondadori, 1991.

BECKFORD, JAMES, *Cult Controversies: The Societal Response to the New Religious Movements*, London-New York, Tavistok, 1985.

BECKFORD, JAMES, *Nuove forme del sacro*, (trad. it.), Bologna, Il Mulino, 1990.

BOWEN, DAVID, *The Sathya Sai Baba Community in Bradford: Its Origin and Development, Religious Beliefs and Practices*, Community Religious Project, Department of Theology and Religious Studies, University of Leeds, 1988.

BROCKWAY, ALLAN R. – RAJASHEKAR, J. PAUL (a cura di), *New Religious Movements and the Churches*, Geneva, World Council of Churches Publications, 1987.

BROMLEY, DAVID G. – SHUPE, ANSON D., *Strange Gods: The Great American Cult Scare*, Boston, Beacon, 1981.

BROMLEY, DAVID G. – RICHARDSON, JAMES T. (a cura di), *The Brainwashing/Deprogramming Controversy: Sociological, Psychological, Legal and Historical Perspectives*, New York-Toronto, Edwin Mellen Press, 1983.

CHAMPION, FRANCOISE, «D'une alliance entre religion et utopie post '68» in *Social Compass*, 36 (I) 1981, pp. 51-79.

CLARKE, PETER (a cura di), *The New Evangelists: Recruitment, Methods and Aims of New Religious Movements*, London, Ethnographica, 1987.

CLARKE, PETER – PUTTICK, E. (a cura di), *Women as Teachers and Disciples in Traditional and New Religions*, the Edwin Mellen Press, UK and USA, 1993.

DEL RE, MICHELE, *Nuovi idoli, nuovi dèi. Culti e sette emergenti in tutto il mondo*, Roma, Gremese, 1988.

DYSON, ANTHONY – BARKER, EILEEN (a cura di), *Sects and New Religious Movements*, Manchester, The Bulletin of the John Rylands University Library of Manchester, 1988.

FILORAMO, GIOVANNI, *I nuovi movimenti religiosi. Metamorfosi del sacro*, Bari-Roma, Laterza, 1986.

FITZGERALD, FRANCES, *Cities on a Hill*, New York-London, Simon & Schuster, 1986.

GALANTER, MARC, *Culti*, (trad. it.), Milano, SugarCo, 1993.

GARVEY, KEVIN, «La mia esperienza *est*» in *Sette e religioni*, n. 8, ott.-dic. 1992, pp. 480-514.

GATTO TROCCHI, CECILIA, *Magia ed esoterismo in Italia*, Milano, Mondadori, 1990.

GATTO TROCCHI, CECILIA, (a cura di), *Il Talismano e la Rosa*, Roma, Bulzoni, 1992.

GATTO TROCCHI, CECILIA, *Viaggio nella magia*, Bari-Roma, Laterza, 1993.

GATTO TROCCHI, CECILIA, «Charismatic feminist leaders in magic-esoteric groups in Italy» in *Women as Teachers and disciples in traditional and new religions*, cit., pp. 115-125.

GLOCK, CHARLES Y. – BELLAH, ROBERT N. (a cura di), *New Religious Consciousness*, Berkeley-Los Angeles-London, University of California Press, 1976.

INTROVIGNE, MASSIMO, *Il reverendo Moon e la Chiesa dell'Unificazione*, Leumann (Torino), Elle Di Ci, 1987.

INTROVIGNE, MASSIMO, *Le nuove religioni*, Milano, SugarCo, 1989.

INTROVIGNE, MASSIMO (a cura di), *Lo spiritismo*, Leumann (Torino), Elle Di Ci, 1989.

INTROVIGNE, MASSIMO, *Le sette cristiane. Dai Testimoni di Geova al reverendo Moon*, Milano, Mondadori, 1989.

INTROVIGNE, MASSIMO, *I nuovi culti. Dagli Hare Krishna alla Scientologia*, Milano, Mondadori, 1990.

INTROVIGNE, MASSIMO, *Il cappello del mago. I nuovi movimenti magici dallo spiritismo al satanismo*, Milano, SugarCo, 1990.

INTROVIGNE, MASSIMO, (a cura di), *Le nuove rivelazioni*, Leumann (Torino), Elle Di Ci, 1991.

INTROVIGNE, MASSIMO – MAYER, JEAN-FRANCOIS – ZUCCHINI, ERNESTO, *I nuovi movimenti religiosi. Sette cristiane e nuovi culti*, Leumann (Torino), Elle Di Ci, 1990.

KAKAR, SUDHIR, *Shamans, Mystics and Doctors: A Psychological Inquiry into India and Its Healing Traditions*, London, Unwin, 1984.

MACIOTI, MARIA IMMACOLATA, *Teorie e tecniche della pace interiore*, Napoli, Liguori, 1980.

MACIOTI, MARIA IMMACOLATA, *Fede, mistero, magia*, Bari, Dedalo, 1991.

MARTIN, BERNICE, *A Sociology of Contemporary Cultural Change*, Oxford, Blackwell, 1981.

MAYER, JEAN-FRANCOIS, *Le nuove sette*, (trad. it.), Genova, Marietti, 1987.

MAYER, JEAN-FRANCOIS, *Le sette*, (trad. it.), Milano, Effe Di Effe, 1990.

MC GUIRE, MEREDITH B. – KANTOR, DEBRA, *Ritual Healing in Suburban America*, New Brunswick, Rutgers University Press, 1989.

MELTON, J. GORDON, *Encyclcopedic Handbook of Cults in America*, New York-London, Garland, 1986.

MELTON, J. GORDON – MOORE, ROBERT, *The Cult Experience: Responding to the New Religious Pluralism*, New York, Pilgrim Press, 1982.

MELTON, J. GORDON, *The Encyclopedia of American Religions*, Detroit, III ed., Gale, 1989.

MESSNER, FRANCIS, «Le sette e le religioni in Europa. Aspetti giuridici» in *Sette e religioni* n. 6, aprile-giugno 1992, pp. 223-258.

MILNE, HUGH, *Bhagwan: il dio che è fallito*, (trad. it.), Milano, Rizzoli, 1989.

MOSATCHE, HARRIET, *Searching: Practices and Beliefs of the Religious Cults and Human Potential Groups*, New York, Straven Educational Press, 1983.

PRANDI, CARLO – FILORAMO, GIOVANNI, *Le scienze delle religioni*, Brescia, Morcelliana, 1991.

RHINEHART, LUKE, *The Book of est*, New York, Holt, Rhinehart and Wiston, 1976.

RICHARDSON, JAMES T. (a cura di), *Money and Power in the New Religions*, Lewiston-Queenston-Lampeter, Edwin Mellen Press, 1988.

ROBBINS, THOMAS – ANTHONY, DICK (a cura di), *In Gods We Trust: New Patterns of Religious Pluralism in America*, New Brunswick-London, Transaction, 1990.

ROBBINS, THOMAS, *Cults, Converts and Charisma: The Sociology of New Religious Movements, Current Sociology*, vol. 36., n. 1., London-Beverly Hills, Sage, 1988.

ROCHFORD, E. BURKE, *Hare Krishna in America*, New Brunswick, Rutgers, 1985.

ROSEN, RICHARD D., *Psychobabble: Fast Talk and Quick Cure in the Era of Feeling*, London, Wildwood House, 1975.

SALIBA, JOHN A., *Psychiatry and the Cults: An Annotated Bibliography*, New York, Garland, 1987; *Social Science and the Cults: An Annotated Bibliography*, New York-London, Garland, 1990.

STARK, RODNEY–BAINBRIDGE, WILLIAM SIMS, *The Future of Religion: Secularization, Revival, and Cult Formation*, Berkeley, University of California Press, 1985.

TERRIN, ALDO NATALE, *Nuove Religioni. Alla ricerca della terra promessa*, Brescia, Morcelliana, 1985.

TIPTON, STEVEN M., *Getting Saved from the Sixties: Moral Meaning in Conversion and Cultural Change*, Berkeley-Los Angeles-London, University of California Press, 1984.

VERNETTE, JEAN, *Il New Age*, (trad. it.), Milano, Ed. Paoline, 1992.

VIVIEN, ALAIN, *Les Sectes en France: Expression de la Liberté morale ou Facteurs de Manipulations?*, Paris, la Documentation Française, 1985.

WALLIS, ROY, *The Road to Total Freedom: A Sociological Analysis of Scientology*, London, Heinemann, 1976.

WALLIS, ROY, *The Elementary Forms of the New Religious Life*, London, Routledge & Kegan Paul, 1983.

WESTLEY, FRANCES, *The Complex Forms of the Religious Life*, Chico (California), Scholars, 1983.

WILLIAMS, JACQUI (con DAVID PORTER), *The Locust Year: Four Years with the Moonies*, London, Hodder and Stoughton, 1987.

WILSON, BRYAN, *Religious Sects: A Sociological Study*, London, Weidenfeld and Nicolson, 1970.

WILSON, BRYAN (a cura di), *The Social Impact of New Religious Movements*, New York, Rose of Sharon Press, 1981.

WILSON, BRYAN, *Religion in Sociological Perspective*, Oxford, Oxford University Press, 1982.

WILSON, BRYAN, *The Social Dimension of Sectarism*, Oxford, Claredon Press, 1990.

WRIGHT, STUART A., *Leaving Cults: The Dynamics of Defection*, Washington DC, Society for the Scientific Study or Religion (Monograph Series No. 7), 1987.

Il sapere

Enciclopedia tascabile Newton
100 pagine 1000 lire

1. **Ludovico Gatto**, *Il Medioevo*
2. **Pio Filippani-Ronconi**, *Il buddhismo*
3. **Pierre Grimal**, *La letteratura latina*
4. **Enrico Malizia**, *Le droghe*
5. **Walter Mauro**, *La storia del jazz*
6. **Henri Michel**, *La seconda guerra mondiale*
7. **Maurice Reuchlin**, *Storia della psicologia*
8. **Henri Firket**, *La cellula vivente*
9. **Giuseppe Antonelli**, *Storia di Roma antica dalle origini alla fine della Repubblica*
10. **Mario Verdone**, *Il futurismo*
11. **Jacques Soustelle**, *Gli Aztechi*
12. **Serena Foglia**, *Il sogno e le sue interpretazioni*
13. **Claudio Quarantotto**, *Dizionario della musica* Pop & Rock
14. **Vincenzo Calò**, *L'agopuntura*
15. **F. Bluche/S. Rials/J. Tulard**, *La Rivoluzione francese*
16. **Napoleone Colajanni**, *La Cina contemporanea, 1949-1994*
17. **Claude David**, *Hitler e il nazismo*
18. **Michel Godfryd**, *Dizionario di psicologia e psichiatria*
19. **Walter Mauro**, *La musica americana dal song al rock*
20. **Robert Escarpit**, *Sociologia della letteratura*
21. **Elisabetta Chelo**, *La fecondazione umana*
22. **Luciano** e **Federico di Nepi**, *Le diete*
23. **Cecilia Gatto Trocchi**, *Le sette in Italia*
24. **Roberto Suozzi**, *Le piante che guariscono*

Tascabili Economici Newton

100 pagine 1000 lire

1. **Sigmund Freud**, *Il sogno e la sua interpretazione*
2. **William Shakespeare**, *Amleto*
3. **Franz Kafka**, *La metamorfosi* e *Nella colonia penale*
4. **Hermann Hesse**, *Vagabondaggio*
5. **Kahlil Gibran**, *La Voce del Maestro*
6. **Robert Louis Stevenson**, *Il Dr. Jekyll e Mr. Hyde*
7. **Sigmund Freud**, *Psicoanalisi, cinque conferenze*
8. **William Shakespeare**, *Otello*
9. **Italo Svevo**, *Corto viaggio sentimentale*
10. **Hermann Hesse**, *Amicizia*
11. **Mallanaga Vatsyayana**, *Kāmasūtra*
12. **Thomas Mann**, *La morte a Venezia*
13. **Charles Darwin**, *L'origine delle specie. Abbozzo del 1842*
14. **Friedrich W. Nietzsche**, *L'Anticristo*
15. **Federico García Lorca**, *I sonetti dell'amore oscuro*
16. **Hermann Hesse**, *Pellegrinaggio d'autunno*
17. **Marziale**, *I cento epigrammi proibiti*
18. **Edgar Allan Poe**, *Racconti del terrore*
19. **Pietro Aretino**, *Sonetti lussuriosi* e *Dubbi amorosi*
20. **William Shakespeare**, *Romeo e Giulietta*
21. **Oscar Wilde**, *Aforismi*
22. **Michail Bulgakov**, *Cuore di cane*
23. **Buddha**, *I quattro pilastri della saggezza*
24. **Edgar Allan Poe**, *Racconti del mistero*
25. **Sigmund Freud**, *Tre saggi sulla sessualità*
26. **Henrik Ibsen**, *Casa di bambola*
27. **Giovanni Paolo II**, *Pensieri di pace e di speranza*
28. **Hermann Hesse**, *Knulp*
29. **AA.VV.**, *Canti degli indiani d'America*
30. **Edgar Allan Poe**, *Racconti d'incubo*
31. **Albert Einstein**, *Teoria dei quanti di luce*
32. **Luigi Pirandello**, *Sei personaggi in cerca d'autore*
33. **Seneca**, *La felicità*
34. **Hermann Hesse**, *Bella è la gioventù*
35. **Charles Baudelaire**, *Il poema dell'hashish*

36. **Horace Walpole,** *Il castello di Otranto*
37. *La regola sanitaria salernitana*
38. **Raymond Radiguet,** *Il diavolo in corpo*
39. **Seneca,** *L'ozio* e *La serenità*
40. **Hermann Hesse,** *Francesco d'Assisi*
41. **Ben Jonson,** *Il Dottor Sottile*
42. **John William Polidori,** *Il vampiro*
43. **Victor Hugo,** *L'ultimo giorno di un condannato a morte*
44. **Nikolaj V. Gogol',** *Il cappotto* e *Il naso*
45. **Edmond Rostand,** *Cirano di Bergerac*
46. **Hermann Hesse,** *Klein e Wagner*
47. **Kahlil Gibran,** *Massime spirituali*
48. **Charles Baudelaire,** *Un mangiatore d'oppio*
49. **Friedrich W. Nietzsche,** *Ecce homo*
50. **Lucio Dalla,** *Parole cantate*
51. **Luigi Pirandello,** *Il turno*
52. **Hermann Hesse,** *Hermann Lauscher*
53. **Cicerone,** *L'amicizia*
54. **Franz Kafka,** *Lettera al padre*
55. **Renato Fucini,** *Le veglie di Neri*
56. **Howard P. Lovecraft,** *La casa stregata*
57. **Sigmund Freud,** *Al di là del principio del piacere*
58. **Ugo Betti,** *Corruzione al Palazzo di Giustizia*
59. **Kahlil Gibran,** *Le ali spezzate*
60. **Hermann Hesse,** *Amore*
61. **Giovenale,** *Contro le donne*
62. **Plutarco,** *Il fato* e *La superstizione*
63. **Giovanni Verga,** *Storia di una capinera*
64. **François de La Rochefoucauld,** *Massime*
65. **Joseph Sheridan Le Fanu,** *Carmilla*
66. **Ambrose Bierce,** *I racconti dell'oltretomba*
67. **George Eliot,** *Il velo dissolto*
68. **Bram Stoker,** *L'ospite di Dracula*
69. **Robert Louis Stevenson,** *Il ladro di cadaveri*
70. **Oscar Wilde,** *Il delitto di Lord Savile* e *Il fantasma di Canterville*
71. **Carlo Goldoni,** *La locandiera*
72. **Luigi Pirandello,** *L'umorismo*
73. **Hermann Hesse,** *Il miglioratore del mondo* e *Emil Kolb*
74. **Italo Svevo,** *Il buon vecchio e la bella fanciulla e altri racconti*
75. **Napoleone Bonaparte,** *Aforismi, massime e pensieri*
76. **Théophile Gautier,** *Jettatura*
77. **Franco Cuomo,** *Elogio del libertino*
78. **Joseph Conrad,** *Cuore di tenebra*
79. **Herman Melville,** *Billy Budd il marinaio*
80. **William H. Hodgson,** *L'orrore del mare*
81. **Robert Louis Stevenson,** *L'Isola delle Voci* e *La spiaggia di Falesà*

82. *Le avventure di Sindibàd il marinaio*
83. **Arthur Schopenhauer,** *Saggio sulla visione degli spiriti*
84. *I fioretti di San Francesco*
85. **Johann Wolfgang von Goethe,** *I dolori del giovane Werther*
86. **Seneca,** *Come vivere a lungo* e *La provvidenza*
87. **Karl Kraus,** *Aforismi in forma di diario*
88. **Arthur Conan Doyle,** *La mummia*
89. **Paul Verlaine,** *Femmes* e *Hombres*
90. **Aleksandr Isàevič Solženicyn,** *Una giornata di Ivàn Denìsovič*
91. **W.H. Hodgson/R.E. Howard/H.P. Lovecraft/S. Quinn/ M.W. Wellmann,** *Gli Indagatori dell'Incubo*
92. **Sören Kierkegaard,** *Diario del seduttore*
93. **Alessandro Manzoni,** *Storia della colonna infame*
94. **Kahlil Gibran,** *Gli dèi della terra*
95. **Ivo Andrić,** *Racconti di Sarajevo*
96. **Boris Vian,** *Non vorrei crepare*
97. **Luigi Pirandello,** *Questa sera si recita a soggetto*
98. **Mohandas Karamchand Gandhi,** *Buddismo, Cristianesimo, Islamismo*
99. *Canti d'amore e di libertà del popolo kurdo*
100. **Dante Alighieri,** *Divina Commedia*
101. **Virginia Woolf,** *Una stanza tutta per sé*
102. **Michail Bulgakov,** *Le uova fatali: l'invasione dei rettili giganti*
103. **Leonardo da Vinci,** *Aforismi, novelle e profezie*
104. **Gustav Meyrink,** *Racconti agghiaccianti*
105. **Carlo Bernari,** *L'ombra del suicidio*
106. **William Shakespeare,** *Molto rumore per nulla*
107. *Aladino e la lampada meravigliosa*
108. **Ugo Foscolo,** *Ultime lettere di Jacopo Ortis*
109. **Johann Wolfgang von Goethe,** *Elegie romane* e *Epigrammi veneziani*
110. **Epicuro,** *Massime e aforismi*
111. **Friedrich Schiller,** *Il Visionario*
112. **Mark Twain,** *La banconota da un milione di sterline e altri racconti*
113. **Giovanni Della Casa,** *Galateo*
114. *Le più belle arie d'opera,* (a cura di Piero Mioli)
115. **Giuseppe D'Agata,** *Il medico della mutua*
116. **Hermann Hesse,** *Aforismi*
117. **Kahlil Gibran,** *Aforismi. Sabbia e spuma*
118. **Ezra Pound,** *Aforismi e detti memorabili*
119. **Alphonse Karr,** *Aforismi sulle donne, sull'uomo e sull'amore*
120. **Friedrich W. Nietzsche,** *Aforismi*
121. **Charles Dickens,** *Un canto di Natale*
122. **Charles Dickens,** *Il grillo del focolare*
123. **Charles Dickens,** *Il patto col fantasma*
124. **Charles Dickens,** *Le campane*
125. **Charles Dickens,** *La battaglia della vita*

126. **Karl Marx/Friedrich Engels,** *Manifesto del partito comunista*
127. **Ippocrate,** *Aforismi e Giuramento*
128. **Ettore Petrolini,** *Macchiette, lazzi, colmi e parodie*
129. **Sun Tzu,** *L'arte della guerra*
130. **David Herbert Lawrence,** *La vergine e lo zingaro*
131. **Edith Wharton,** *Ethan Frome*
132. **E. Hoffmann Price/G. Stroup/A. Burks/A. Graham/H. Lieferant,** *Le case maledette*
133. **Stephen Crane,** *Il segno rosso del coraggio*
134. **Gaspara Stampa,** *I sonetti d'amore*
135. **Gilles Bellemère,** *Le quindici gioie del matrimonio*
136. **Oscar Wilde,** *L'amore e le donne. Aforismi*
137. *Luna d'amore* (a cura di Luciano Luisi)
138. **Carlo Goldoni,** *Gl'innamorati*
139. **Tommaso Moro,** *Utopia*
140. **Guy de Maupassant,** *Le Horla e altri racconti dell'orrore*
141. **Giulio Mazzarino,** *Breviario dei politici*
142. **Buddha,** *Aforismi e discorsi*
143. *Donna, mistero senza fine bello* (a cura di Silvio Raffo)
144. **Diego Fabbri,** *Processo a Gesù*
145. **Aristofane,** *Le commedie delle donne*
146. **Edgar Allan Poe,** *Racconti dell'impossibile*
147. **Joseph Sheridan Le Fanu,** *Tre casi del dr. Hesselius*
148. **Anonimo Francofortese,** *Libretto della vita perfetta*
149. **Roberto Gervaso,** *Aforismi*
150. *Antologia del blues* (a cura di Elena Clementelli e Walter Mauro)
151. **August Strindberg,** *Inferno*
152. **Cicerone,** *L'arte di invecchiare*
153. *Mamma, le più belle poesie a te dedicate* (a cura di Giovanni Gigliozzi)
154. **Arthur Schnitzler,** *Il ritorno di Casanova*
155. **Mao Tse-tung,** *Citazioni. Il «libretto rosso»*
156. **Oscar Wilde,** *De Profundis*
157. **Apicio,** *La cucina dell'antica Roma*
158. **Ludwig Andreas Feuerbach,** *L'essenza della religione*
159. **Nathaniel Hawthorne,** *Racconti neri e fantastici*
160. **Jack London,** *La sfida e altre storie di boxe*
161. **Giorgio Saviane,** *L'inquisito*
162. **Motti dannunziani** (a cura di Paola Sorge)

Caro lettore,

ritagli e invii in busta chiusa, dopo aver risposto alle
nostre domande, la scheda allegata.

Riceverà in omaggio periodicamente il nostro catalogo.

Dove ha acquistato il libro?
□ libreria   □ edicola   □ ipermercato   □ regalo

Ritiene di aver acquistato, indipendentemente dall'opera, un prodotto editoriale:
□ scadente   □ mediocre   □ buono   □ ottimo

Barri con una X le aree di lettura che predilige:
□ narrativa   □ filosofia   □ antropologia   □ storia
□ psicologia   □ poesia   □ letteratura   □ saggistica
□ politica   □ fiabe   □ teatro   □ cucina
□ architettura   □ arte   □ magia   □ musica
□ giallo   □ orrore   □ fantastico   □ avventura
□ fantasy   □ fantascienza   □ rosa   □ archeologia

nome .... cognome ....

età .... professione ....

Via .... n. ....

CAP .... Città .... (......)

Spedire a: Newton Compton editori
           Via della Conciliazione, 15
           00193 ROMA
           Tel. 06/68803250

Richiesta volumi arretrati

(Spedizione contrassegno senza alcun contributo per spese postali)

N.B. Per richieste di importo inferiore a L. 5.000, inviare, unitamente alla cedola libraria, francobolli di importo pari all'ordine.

Numero collana	Numero copie	Titolo	Importo

Data _____ Firma _____